#교과서×사고력
#게임하듯공부해
#스티커게임?리얼공부!

Go! 매쓰
초등 수학

저자 김보미

- 네이버 대표카페 '성공하는 공부방 운영하기' 운영자
- '미래엔', '메가스터디', '천재교육' 교재 기획 및 집필
- 전국 1,000개 이상의 공부방/선생님 컨설팅 및 교육
- 현재 〈GO! 매쓰〉 수학 공부방 운영

**Chunjae
Makes
Chunjae**

▼

기획총괄	김안나
편집개발	이근우, 김정희, 서진호, 최수정, 김혜민, 김현주
디자인총괄	김희정
표지디자인	윤순미
내지디자인	박희춘, 이혜미
제작	황성진, 조규영

발행일	2020년 10월 1일 2판 2023년 12월 1일 3쇄
발행인	(주)천재교육
주소	서울시 금천구 가산로9길 54
신고번호	제2001-000018호
고객센터	1577-0902
교재 구입 문의	1522-5566

교과서 GO! 사고력 GO!

GO! 매쓰

Run-A
교과서 사고력

수학 3-1

GO! 매쓰 Run 구성과 특징

1주차 교과 집중 학습

1 교과서 개념 완성

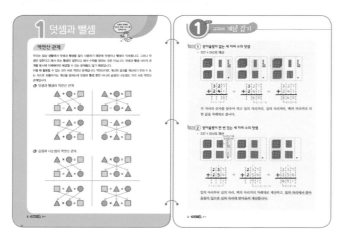

재미있는 수학 이야기로 단원에 대한 흥미를 높이고, 교과서 개념과 기본 문제를 학습합니다.

2 교과서 개념 PLAY

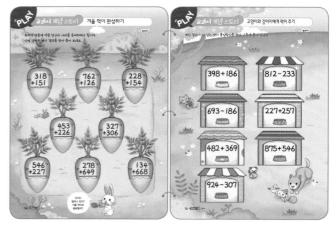

게임으로 개념을 학습하면서 집중력을 높여 쉽게 개념을 익히고 기본을 탄탄하게 만듭니다.

3 문제 풀이로 실력 & 자신감 UP!

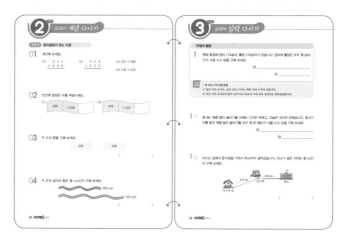

한 단계 더 나아간 교과서와 익힘 문제로 개념을 완성하고, 다양한 문제 유형으로 응용력을 키웁니다.

4 서술형 문제 풀이

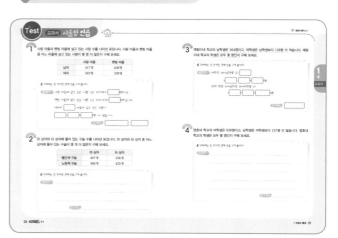

시험에 잘 나오는 서술형 문제 중심으로 단계별로 풀이하는 연습을 하여 서술하는 힘을 높여 줍니다.

2 ^{주차} 사고력 확장 학습

1 사고력 PLAY

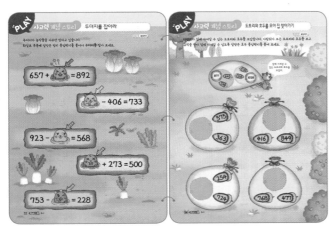

교과 심화 문제와 사고력 문제를 게임으로 쉽게 접근하여 어려운 문제에 대한 거부감을 낮추고 집중력을 높입니다.

2 교과 사고력 잡기

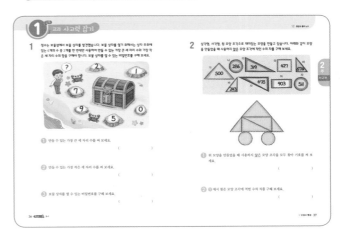

문제에 필요한 요소를 찾아 단계별로 해결하면서 문제 해결력을 키울 수 있는 힘을 기릅니다.

3 교과 사고력 확장＋완성

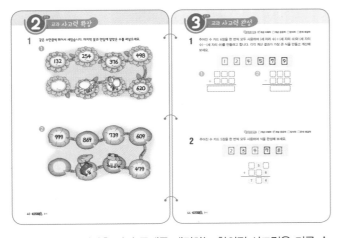

틀에서 벗어난 생각을 하여 문제를 해결하는 창의적 사고력을 기를 수 있는 힘을 기릅니다.

4 종합평가 / 특강

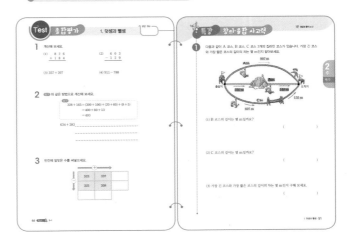

교과 학습과 사고력 학습을 얼마나 잘 이해하였는지 평가하여 배운 내용을 정리합니다.

1 덧셈과 뺄셈

단원과 관련된 역연산 관계 이야기를 살펴보아요.

역연산 관계

우리는 일상 생활에서 덧셈과 뺄셈을 많이 사용하기 때문에 덧셈이나 뺄셈이 익숙합니다. 그러나 덧셈만 잘한다고 해서 또는 뺄셈만 잘한다고 해서 수학을 잘하는 것은 아닙니다. 덧셈과 뺄셈 사이의 관계를 동시에 이해해야만 해결할 수 있는 문제들도 많기 때문입니다.

이럴 때 활용할 수 있는 것이 바로 역연산 관계입니다. 역연산이란, 계산한 결과를 계산하기 전의 수 또는 식으로 되돌아가는 계산을 말하는데 덧셈과 뺄셈 뿐만 아니라 곱셈과 나눗셈도 각각 서로 역연산 관계입니다.

☆ 덧셈과 뺄셈의 역연산 관계

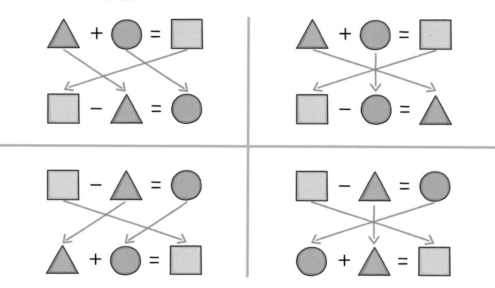

☆ 곱셈과 나눗셈의 역연산 관계

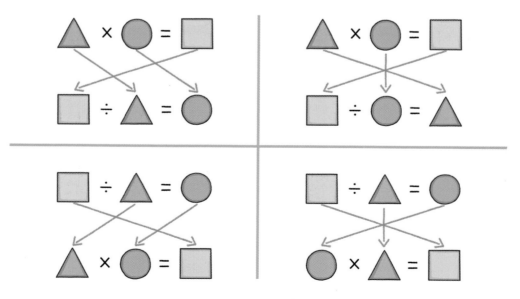

덧셈과 뺄셈의 역역산 관계를 생각하면서 주어진 수를 이용하여 덧셈식과 뺄셈식을 2개씩 완성해 보세요.

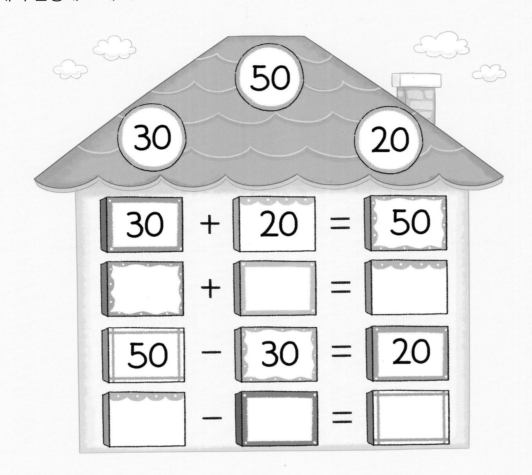

$$30 + 20 = 50$$
$$\square + \square = \square$$
$$50 - 30 = 20$$
$$\square - \square = \square$$

구슬에 쓰여 있는 수를 이용하여 덧셈식과 뺄셈식을 2개씩 완성해 보세요.

$$42 + 23 = 65$$
$$\square + \square = \square$$
$$65 - 42 = 23$$
$$\square - \square = \square$$

65 42 23

개념 1 받아올림이 없는 세 자리 수의 덧셈

• 327＋241의 계산

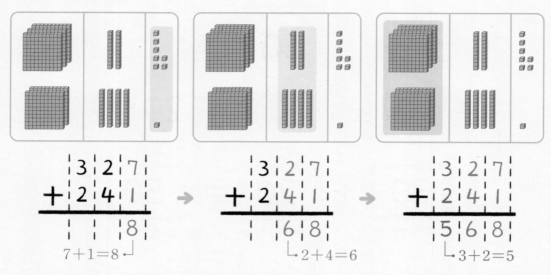

$7+1=8$ $2+4=6$ $3+2=5$

각 자리의 숫자를 맞추어 적고 일의 자리끼리, 십의 자리끼리, 백의 자리끼리 더한 값을 차례대로 씁니다.

개념 2 받아올림이 한 번 있는 세 자리 수의 덧셈

• 237＋254의 계산

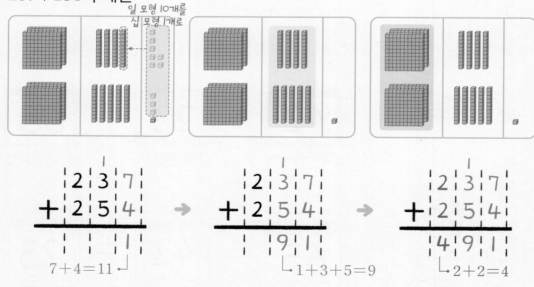

$7+4=11$ $1+3+5=9$ $2+2=4$

일의 자리부터 십의 자리, 백의 자리끼리 차례대로 계산하고, 일의 자리에서 받아올림이 있으면 십의 자리에 받아올려 계산합니다.

개념 확인 문제

1-1 수 모형을 보고 ☐ 안에 알맞은 수를 써넣으세요.

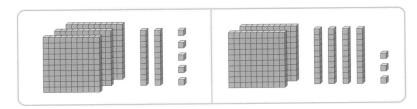

$$325 + 243 = \boxed{}$$

1-2 ☐ 안에 알맞은 수를 써넣으세요.

(1)
	4	6	4
+	1	2	5
	☐	☐	☐

(2)
	1	7	3
+	2	1	2
	☐	☐	☐

1-3 계산해 보세요.

(1) $238 + 341$

(2) $526 + 140$

2-1 ☐ 안에 알맞은 수를 써넣으세요.

(1)
	☐		
	1	7	8
+	2	1	2
	☐	☐	☐

(2)
	☐		
	3	1	6
+	4	5	9
	☐	☐	☐

2-2 계산해 보세요.

(1) $376 + 517$

(2) $464 + 218$

개념 **3** 받아올림이 두 번 있는 세 자리 수의 덧셈

• 368＋579의 계산

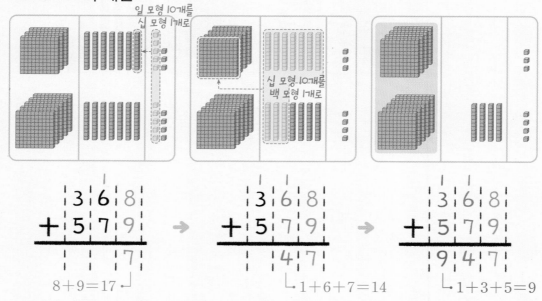

일의 자리에서 받아올림이 있으면 십의 자리에 받아올리고, 십의 자리에서 받아올림이 있으면 백의 자리에 받아올려 계산합니다.

개념 **4** 받아올림이 세 번 있는 세 자리 수의 덧셈

• 558＋479의 계산

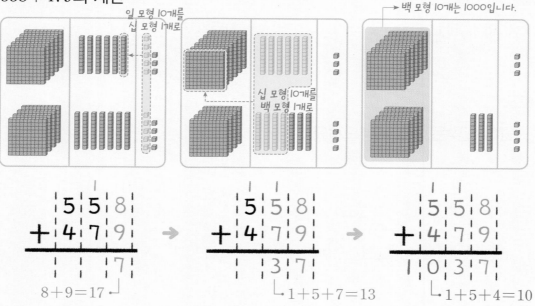

일의 자리에서 받아올림이 있으면 십의 자리에 받아올리고, 십의 자리에서 받아올림이 있으면 백의 자리에 받아올리고, 백의 자리에서 받아올림이 있으면 천의 자리에 받아올려 계산합니다.

개념 확인 문제

3-1 수 모형을 보고 □ 안에 알맞은 수를 써넣으세요.

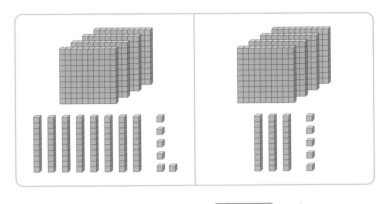

$$486 + 435 = \boxed{}$$

3-2 계산해 보세요.

(1)
```
    3 4 6
  + 2 5 6
```

(2)
```
    6 7 9
  + 1 3 5
```

4-1 □ 안에 알맞은 수를 써넣으세요.

(1)
```
    □ □
    7 5 6
  + 4 8 7
  □ □ □ □
```

(2)
```
    □ □
    3 9 5
  + 8 2 8
  □ □ □ □
```

4-2 빈 곳에 두 수의 합을 써넣으세요.

(1)
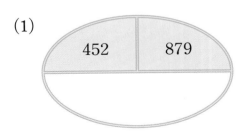
452 | 879

(2)
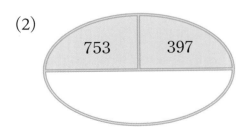
753 | 397

개념 5 받아내림이 없는 세 자리 수의 뺄셈

• 587－253의 계산

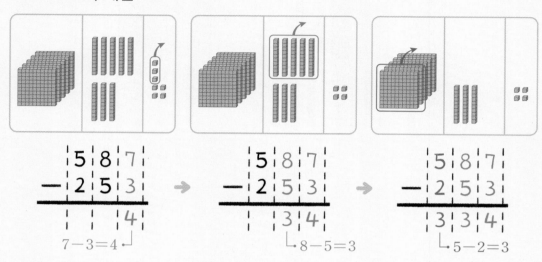

$$7-3=4$$ $$8-5=3$$ $$5-2=3$$

각 자리의 숫자를 맞추어 적고 일의 자리끼리, 십의 자리끼리, 백의 자리끼리 뺀 값을 차례대로 씁니다.

개념 6 받아내림이 한 번 있는 세 자리 수의 뺄셈

• 492－135의 계산

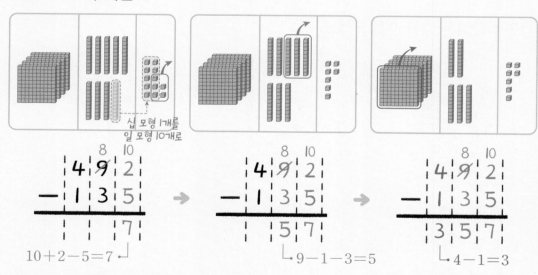

십 모형 1개를
일 모형 10개로

$$10+2-5=7$$ $$9-1-3=5$$ $$4-1=3$$

일의 자리부터 십의 자리, 백의 자리까지 차례대로 계산하고, 일의 자리 수끼리 뺄 수 없으면 십의 자리에서 10을 받아내려 계산합니다.

개념 확인 문제

5-1 □ 안에 알맞은 수를 써넣으세요.

(1)
$$\begin{array}{r} 4\ 8\ 6 \\ -\ 1\ 5\ 4 \\ \hline \square\ \square\ \square \end{array}$$

(2)
$$\begin{array}{r} 7\ 5\ 9 \\ -\ 4\ 3\ 6 \\ \hline \square\ \square\ \square \end{array}$$

5-2 계산해 보세요.

(1) 854－323

(2) 679－275

6-1 수 모형을 보고 □ 안에 알맞은 수를 써넣으세요.

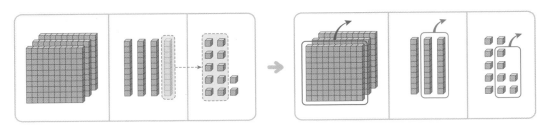

342－126＝□

6-2 □ 안에 알맞은 수를 써넣으세요.

(1)
$$\begin{array}{r} \square\ \square \\ 5\ \cancel{4}\ 7 \\ -\ 2\ 1\ 9 \\ \hline \square\ \square\ \square \end{array}$$

(2)
$$\begin{array}{r} \square\ \square \\ 8\ \cancel{7}\ 4 \\ -\ 3\ 5\ 8 \\ \hline \square\ \square\ \square \end{array}$$

6-3 계산해 보세요.

(1)
$$\begin{array}{r} 7\ 3\ 3 \\ -\ 5\ 1\ 8 \\ \hline \end{array}$$

(2)
$$\begin{array}{r} 6\ 8\ 2 \\ -\ 4\ 6\ 7 \\ \hline \end{array}$$

개념 **7** 받아내림이 두 번 있는 세 자리 수의 뺄셈

• 726-358의 계산

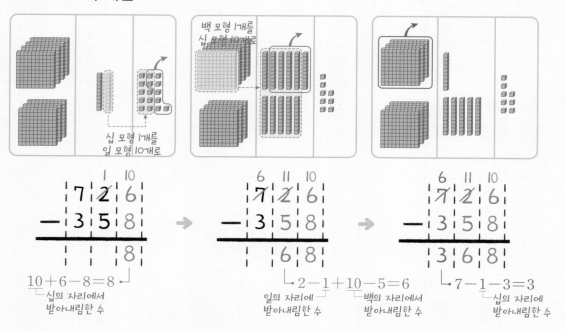

• 422-278의 계산

일의 자리끼리 뺄 수 없으므로 십의 자리에서 일의 자리에 받아내려 계산하고, 십의 자리끼리 뺄 수 없으므로 백의 자리에서 십의 자리에 받아내려 계산합니다.

받아내림이 연속으로 두 번 있으므로 받아내림한 수를 정확히 표시해 둡니다.

$$
\begin{array}{r}
\overset{3}{4}\ \overset{11}{2}\ \overset{10}{2} \\
-\ 2\ 7\ 8 \\
\hline
①\ ④\ ④
\end{array}
$$

└─ 10+2-8=④
└─ 2-1+10-7=④
└─ 4-1-2=①

참고 받아내림할 때 바로 윗자리의 숫자가 0인 경우에는 받아내림할 수 없으므로 한 자리 더 윗자리에서 받아내림합니다.

예

백의 자리에서 받아내림한 10 중에서 1을 일의 자리로 받아내림하고 남은 수

백의 자리에서 받아내림한 10 중에서 1을 일의 자리로 받아내림하고 남은 수

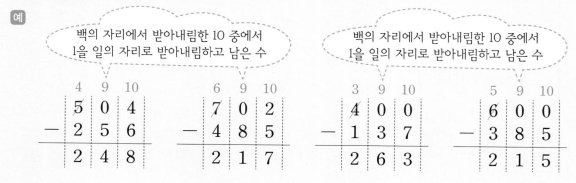

개념 확인 문제

7-1 □ 안에 알맞은 수를 써넣으세요.

(1)

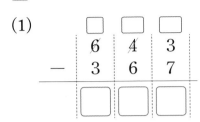

```
  □ □ □
    6 4 3
  - 3 6 7
  ────────
  □ □ □
```

(2)

```
  □ □ □
    5 2 6
  - 2 4 7
  ────────
  □ □ □
```

7-2 계산해 보세요.

(1)
```
    3 2 6
  - 1 5 8
```

(2)
```
    8 0 4
  - 6 3 9
```

(3) 713 − 259

(4) 624 − 348

7-3 다음 계산에서 □ 안의 수가 실제로 나타내는 값은 얼마일까요?

```
  5 [11] 10
    6  2  5
  - 1  4  8
  ──────────
    4  7  7
```

(   )

7-4 빈칸에 알맞은 수를 써넣으세요.

(1)

| 823 | 557 | |

(2)

| 706 | 349 | |

준비물 ◀ 붙임딱지

토끼가 겨울에 먹을 당근과 사과를 준비하려고 합니다.
식에 알맞은 계산 결과를 찾아 붙여 보세요.

$$318 + 151$$

$$762 + 126$$

$$228 + 154$$

$$453 + 226$$

$$327 + 306$$

$$546 + 227$$

$$278 + 649$$

$$134 + 668$$

간식이
얼마나 있지?
겨울 먹이로
충분할까?

598
-321
_____

447
-136
_____

834
-216
_____

752
-214
_____

965
-588
_____

794
-156
_____

512
-195
_____

준비물 붙임딱지

계산 결과가 써 있는 먹이 붙임딱지를 찾아 그릇에 붙여 주세요.

398+186

812-233

693-186

227+257

482+369

875+546

924-307

700 − 183

169 + 644

933 − 254

776 − 187

439 + 437

875 + 459

987 − 298

개념1 받아올림이 없는 덧셈

01 계산해 보세요.

(1)
```
    5 3 1
  + 4 2 8
```

(2)
```
    3 5 4
  + 2 2 5
```

(3) 247＋500

(4) 136＋423

02 빈칸에 알맞은 수를 써넣으세요.

(1)

150 ＋236

(2)

478 ＋321

03 두 수의 합을 구해 보세요.

325   340

(   )

04 두 끈의 길이의 합은 몇 cm인지 구해 보세요.

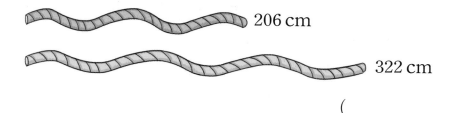

206 cm

322 cm

(   )

개념 2 받아올림이 한 번 있는 덧셈

05 계산해 보세요.

(1)
```
    2 5 6
  + 1 1 7
```

(2)
```
    4 0 8
  + 3 4 9
```

(3) 135＋625

(4) 343＋228

06 수 모형이 나타내는 수보다 159 큰 수를 구해 보세요.

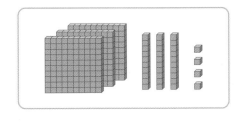

(   )

07 빈칸에 두 수의 합을 써넣으세요.

(1)

132	229

(2)

647	328

08 그림을 보고 ☐ 안에 알맞은 수를 써넣으세요.

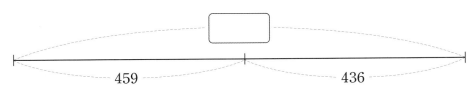

459   436

개념3 받아올림이 두 번, 세 번 있는 덧셈

09 계산해 보세요.

(1)
$$\begin{array}{r} 3\ 6\ 8 \\ +\ 2\ 9\ 5 \\ \hline \end{array}$$

(2)
$$\begin{array}{r} 1\ 5\ 7 \\ +\ 6\ 8\ 7 \\ \hline \end{array}$$

(3) $445+389$

(4) $783+547$

10 두 수의 합을 구해 보세요.

(1)

476	258

(   )

(2)

345	597

(   )

11 계산 결과를 찾아 선으로 이어 보세요.

679+556	•
713+199	•
495+255	•

•	750
•	912
•	1235

12 그림을 보고 ☐ 안에 알맞은 수를 써넣으세요.

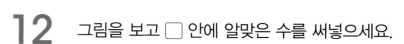

375   679

개념 4 받아내림이 없는 뺄셈

13 계산해 보세요.

(1)
```
   3 5 4
 - 1 2 2
```

(2)
```
   8 6 7
 - 2 4 5
```

(3) 748 − 338

(4) 696 − 573

14 수 모형이 나타내는 수보다 216 작은 수를 구해 보세요.

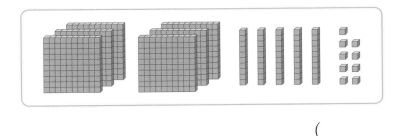

(   )

15 빈칸에 알맞은 수를 써넣으세요.

(1)
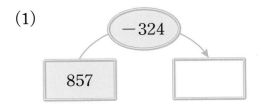

(2)
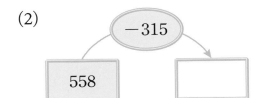

16 삼각형 안에 있는 수의 차를 구해 보세요.

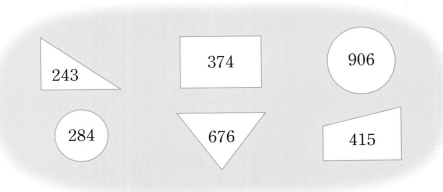

(   )

개념 5 받아내림이 한 번 있는 뺄셈

17 계산해 보세요.

(1)
```
    4 7 2
  -  1 3 5
```

(2)
```
    8 6 0
  -  5 4 8
```

(3) 357 − 129

(4) 684 − 236

18 잘못 계산한 곳을 찾아 바르게 계산해 보세요.

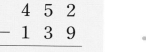
```
    4 5 2
  -  1 3 9
    3 2 3
```
➡
```
    4 5 2
  -  1 3 9
```

19 그림을 보고 ☐ 안에 알맞은 수를 써넣으세요.

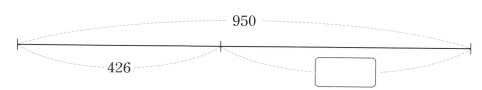

950

426

20 빈칸에 알맞은 수를 써넣으세요.

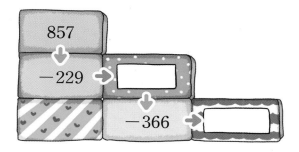

857

−229

−366

개념 6 받아내림이 두 번 있는 뺄셈

21 계산해 보세요.

(1)
$$\begin{array}{r} 6\ 4\ 3 \\ -\ 4\ 5\ 7 \\ \hline \end{array}$$

(2)
$$\begin{array}{r} 3\ 2\ 0 \\ -\ 1\ 8\ 5 \\ \hline \end{array}$$

(3) $562-294$

(4) $700-358$

22 두 수의 차를 구해 보세요.

| 825 | | 477 |

( )

23 계산 결과를 찾아 선으로 이어 보세요.

457 − 169 •

816 − 548 •

500 − 233 •

• 267

• 288

• 268

24 계산 결과를 비교하여 ○ 안에 >, =, <를 알맞게 써넣으세요.

$$934-375 \bigcirc 851-292$$

★ **덧셈의 활용**

1 햇빛 꽃집에 장미 734송이, 튤립 128송이가 있습니다. 장미와 튤립은 모두 몇 송이
인지 식을 쓰고 답을 구해 보세요.

식 _____

답 _____

**개념
피드백** • 세 자리 수의 덧셈 방법

① 일의 자리 수끼리, 십의 자리 수끼리, 백의 자리 수끼리 더합니다.

② 같은 자리 수끼리의 합이 10이거나 10보다 크면 바로 윗자리로 받아올림합니다.

1-1 종서는 윗몸 말아 올리기를 어제는 318번 하였고, 오늘은 483번 하였습니다. 종서가
이틀 동안 윗몸 말아 올리기를 모두 몇 번 했는지 식을 쓰고 답을 구해 보세요.

식 _____

답 _____

1-2 미소는 집에서 문구점을 거쳐서 학교까지 걸어갔습니다. 미소가 걸은 거리는 몇 m인
지 구해 보세요.

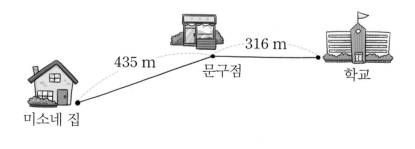

435 m

316 m

문구점

학교

미소네 집

(   )

★ 뺄셈의 활용

2 서진이는 주말 농장에서 딸기를 506개 땄습니다. 그중에서 349개를 먹었다면 남은 딸기는 몇 개인지 식을 쓰고 답을 구해 보세요.

식 _____

답 _____

> **개념 피드백**
> • 세 자리 수의 뺄셈 방법
> ① 일의 자리 수끼리, 십의 자리 수끼리, 백의 자리 수끼리 뺍니다.
> ② 같은 자리 수끼리 뺄 수 없으면 바로 윗자리에서 받아내림합니다.

2-1 기차에 915명이 타고 있었습니다. 다음 역에서 427명이 내렸다면 기차에 남은 사람은 몇 명인지 식을 쓰고 답을 구해 보세요.

식 _____

답 _____

2-2 길이가 5 m인 색 테이프 중에서 선물을 포장하는 데 326 cm를 사용했습니다. 남은 색 테이프는 몇 cm인지 구해 보세요.

(_____)

⭐ 나타내는 수를 구하여 계산하기

3 다음 수보다 496 큰 수는 얼마인지 구해 보세요.

> 100이 3개, 10이 2개, 1이 7개인 수

답 _____

개념 피드백
① 100이 ■개, 10이 ▲개, 1이 ●개인 수는 ■▲●입니다.
② (어떤 수)보다 ★만큼 큰 수 ➡ (어떤 수)＋★

3-1 다음 수보다 284 큰 수는 얼마인지 구해 보세요.

> 100이 5개, 10이 3개, 1이 6개인 수

( )

3-2 ㉠과 ㉡의 합은 얼마인지 구해 보세요.

> ㉠ 100이 5개, 10이 13개, 1이 4개인 수
> ㉡ 100이 3개, 10이 6개, 1이 17개인 수

( )

★ □ 안에 알맞은 수 구하기

4 □ 안에 알맞은 수를 써넣으세요.

(1)
$$
\begin{array}{r}
5\ 3\ \square \\
+\ 3\ \square\ 5 \\
\hline
\square\ 7\ 1
\end{array}
$$

(2)
$$
\begin{array}{r}
7\ \square\ 2 \\
-\ \square\ 4\ \square \\
\hline
5\ 3\ 6
\end{array}
$$

개념 피드백
① 같은 자리 수끼리의 합이 10이거나 10보다 크면 바로 윗자리로 받아올림합니다.
② 같은 자리 수끼리 뺄 수 없으면 바로 윗자리에서 받아내림합니다.

4-1 □ 안에 알맞은 수를 써넣으세요.

(1)
$$
\begin{array}{r}
2\ \square\ 8 \\
+\ \square\ 4\ 4 \\
\hline
5\ 7\ \square
\end{array}
$$

(2)
$$
\begin{array}{r}
\square\ 7\ 6 \\
+\ 3\ \square\ \square \\
\hline
8\ 5\ 0
\end{array}
$$

4-2 □ 안에 알맞은 수를 써넣으세요.

(1)
$$
\begin{array}{r}
7\ \square\ 4 \\
-\ \square\ 3\ \square \\
\hline
3\ 2\ 5
\end{array}
$$

(2)
$$
\begin{array}{r}
\square\ 5\ 3 \\
-\ 6\ \square\ 7 \\
\hline
2\ 6\ \square
\end{array}
$$

★ **바르게 계산한 결과 구하기**

5 어떤 수에 126을 더해야 할 것을 잘못하여 뺐더니 692가 되었습니다. 바르게 계산하면 얼마인지 구해 보세요.

답 _____

개념
피드백
• 바르게 계산한 결과를 구하는 순서
① 잘못 계산한 식을 세웁니다.
② 잘못 계산한 식에서 어떤 수를 구합니다.
③ 어떤 수를 이용하여 바르게 계산합니다.

5-1 어떤 수에 165를 더해야 할 것을 잘못하여 뺐더니 427이 되었습니다. 바르게 계산하면 얼마인지 구해 보세요.

( )

5-2 어떤 수에서 185를 빼야 할 것을 잘못하여 더했더니 519가 되었습니다. 바르게 계산하면 얼마인지 구해 보세요.

( )

★ ☐ 안에 알맞은 수 구하기

6 ☐ 안에 들어갈 수 있는 세 자리 수 중에서 가장 큰 수를 구해 보세요.

$$\boxed{} + 564 < 725$$

답 _____

개념 피드백 >, <가 들어 있는 식은 >, <를 =로 놓고 ☐ 안에 알맞은 수를 구한 뒤 처음 식을 생각하며 조건에 알맞은 답을 구합니다.

6-1 ☐ 안에 들어갈 수 있는 세 자리 수 중에서 가장 큰 수를 구해 보세요.

$$419 + \boxed{} < 836$$

(   )

6-2 ☐ 안에 들어갈 수 있는 세 자리 수 중에서 가장 작은 수를 구해 보세요.

$$397 + \boxed{} > 885$$

(   )

 사랑 마을과 햇빛 마을에 살고 있는 사람 수를 나타낸 표입니다. 사랑 마을과 햇빛 마을 중 어느 마을에 살고 있는 사람이 몇 명 더 많은지 구해 보세요.

	사랑 마을	햇빛 마을
남자	417명	436명
여자	562명	338명

🖋 구하려는 것, 주어진 것에 선을 그어 봅니다.

해결하기 사랑 마을에 살고 있는 사람 수는 417+562=◻(명)이고,

햇빛 마을에 살고 있는 사람 수는 436+338=◻(명)입니다.

따라서 ◻ 마을에 살고 있는 사람이

◻ - ◻ = ◻ (명) 더 많습니다.

답 구하기 ◻ , ◻

2 ㉮ 상자와 ㉯ 상자에 들어 있는 구슬 수를 나타낸 표입니다. ㉮ 상자와 ㉯ 상자 중 어느 상자에 들어 있는 구슬이 몇 개 더 많은지 구해 보세요.

	㉮ 상자	㉯ 상자
빨간색 구슬	457개	156개
노란색 구슬	368개	425개

🖋 구하려는 것, 주어진 것에 선을 그어 봅니다.

해결하기

답 구하기 ,

3 예림이네 학교의 남학생은 564명이고, 여학생은 남학생보다 128명 더 적습니다. 예림이네 학교의 학생은 모두 몇 명인지 구해 보세요.

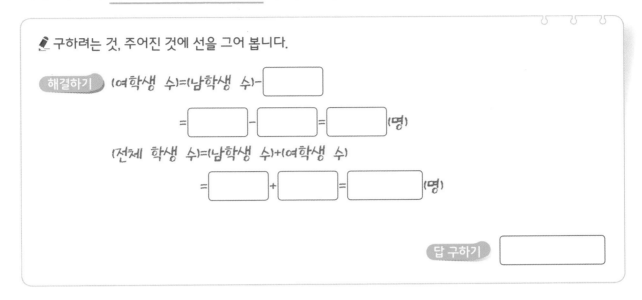

✍ 구하려는 것, 주어진 것에 선을 그어 봅니다.

해결하기   (여학생 수)=(남학생 수)−□

= □ − □ = □ (명)

(전체 학생 수)=(남학생 수)+(여학생 수)

= □ + □ = □ (명)

답 구하기 □

4 영호네 학교의 여학생은 628명이고, 남학생은 여학생보다 157명 더 많습니다. 영호네 학교의 학생은 모두 몇 명인지 구해 보세요.

✍ 구하려는 것, 주어진 것에 선을 그어 봅니다.

해결하기

답 구하기

1
주
교과서

준비물 붙임딱지

두더지가 농작물을 자꾸만 망치고 있습니다.
화살표 부분에 알맞은 망치 붙임딱지를 붙여서 두더지를 잡아 보세요.

$$657 + \boxed{} = 892$$

$$\boxed{} - 406 = 733$$

$$923 - \boxed{} = 568$$

$$\boxed{} + 273 = 500$$

$$753 - \boxed{} = 228$$

524 + 336 = 860

□ − 292 = 369

□ + 478 = 827

600 − □ = 244

245 + □ = 902

준비물 붙임딱지

다람쥐가 집에 가져갈 수 있는 도토리와 호두를 모았습니다. 다람쥐가 모은 도토리와 호두를 보고 규칙을 찾아 집에 가져갈 수 있도록 알맞은 호두 붙임딱지를 붙여 보세요.

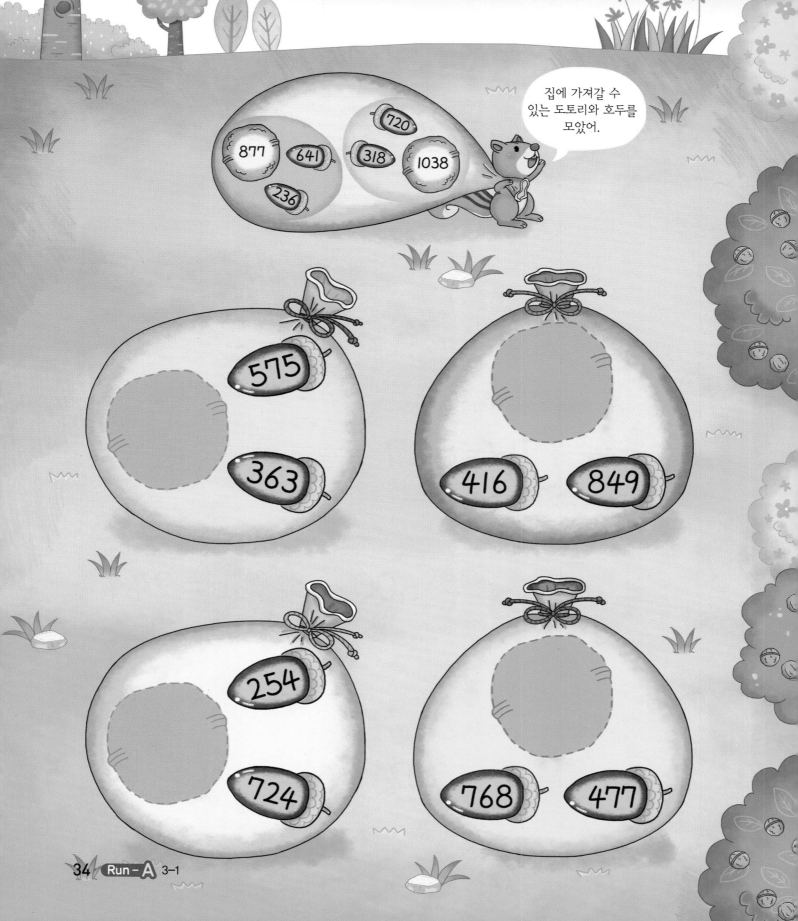

집에 가져갈 수 있는 도토리와 호두를 모았어.

도토리와 호두를 모은 다람쥐가 집을 찾아가려고 합니다. 다람쥐의 집은 303호입니다.
선을 그어 가면서 다람쥐의 집을 찾아 '303호' 붙임딱지를 붙여 보세요.

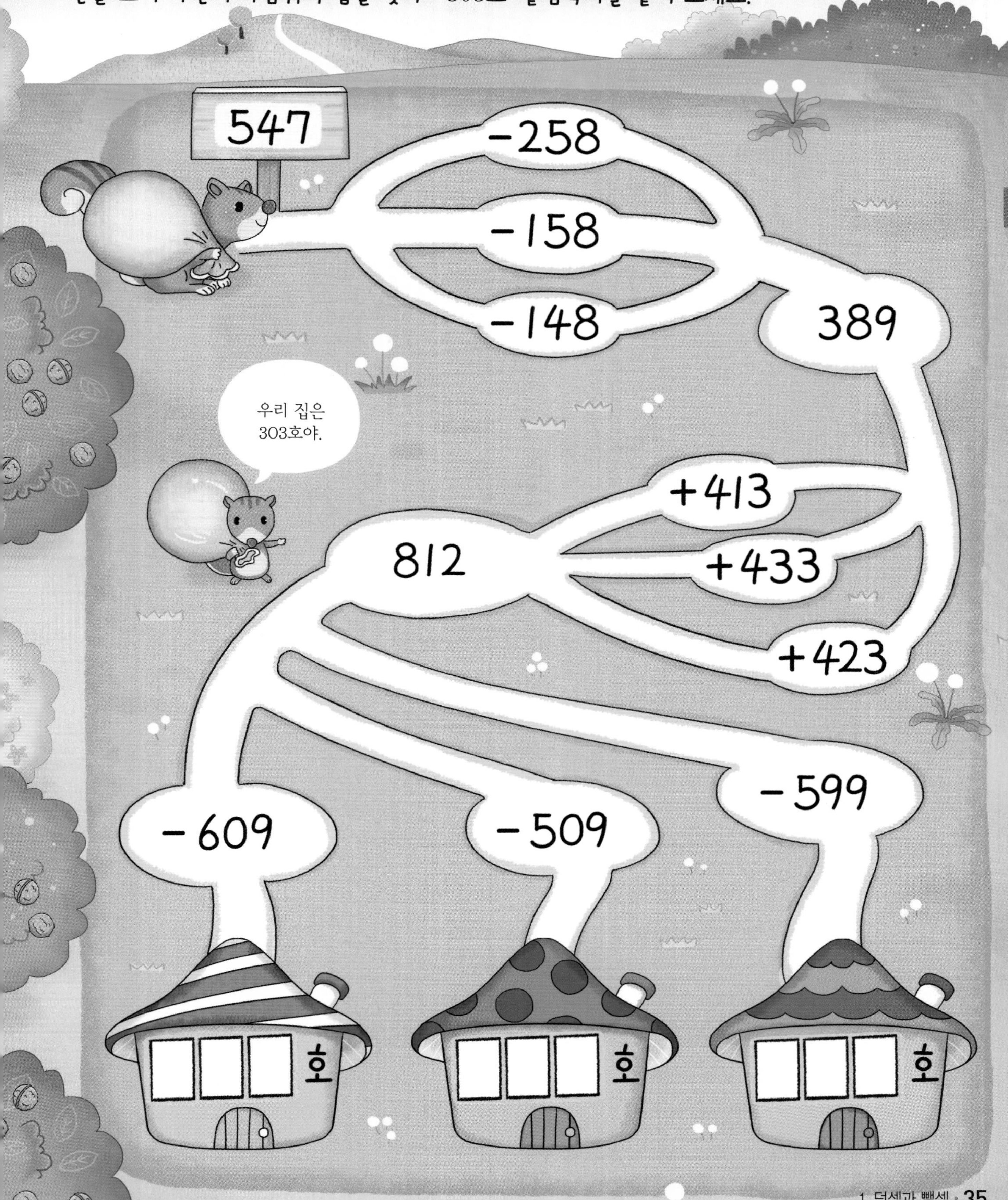

547

−258

−158

−148

389

우리 집은
303호야.

+413

812

+433

+423

−609

−509

−599

호

호

호

1 정수는 보물섬에서 보물 상자를 발견했습니다. 보물 상자를 열기 위해서는 상자 주위에 있는 6개의 수 중 3개를 한 번씩만 사용하여 만들 수 있는 가장 큰 세 자리 수와 가장 작은 세 자리 수의 합을 구해야 합니다. 보물 상자를 열 수 있는 비밀번호를 구해 보세요.

❶ 만들 수 있는 가장 큰 세 자리 수를 써 보세요.

(   )

❷ 만들 수 있는 가장 작은 세 자리 수를 써 보세요.

(   )

❸ 보물 상자를 열 수 있는 비밀번호를 구해 보세요.

(   )

2 삼각형, 사각형, 원 모양 조각으로 재미있는 모양을 만들고 있습니다. 아래와 같이 모양을 만들었을 때 사용하지 <u>않은</u> 모양 조각에 적힌 수의 차를 구해 보세요.

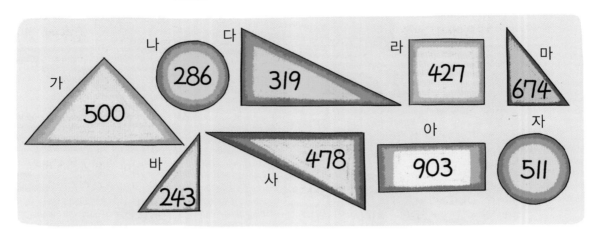

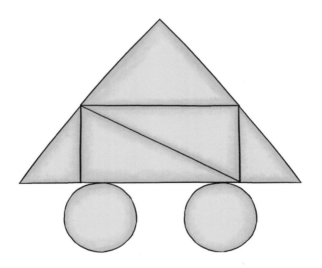

❶ 위 모양을 만들었을 때 사용하지 <u>않은</u> 모양 조각을 모두 찾아 기호를 써 보세요.

(   )

❷ ❶에서 찾은 모양 조각에 적힌 수의 차를 구해 보세요.

(   )

3 가은이네 가족과 준수네 가족은 산에서 밤을 주웠습니다. 누구네 가족이 밤을 더 많이 주웠는지 알아보세요.

① 가은이네 가족이 주운 밤은 모두 몇 개일까요?

(   )

② 준수네 가족이 주운 밤은 모두 몇 개일까요?

(   )

③ 누구네 가족이 밤을 더 많이 주웠는지 써 보세요.

(   )

4 주머니에 세 자리 수가 적힌 구슬이 4개 들어 있습니다. 주머니에서 공 2개를 꺼냈을 때 꺼낸 공에 적힌 두 수의 차가 200에 가장 가까운 뺄셈식을 만들려고 합니다. 공에 적힌 수로 뺄셈식을 만들어 보세요.

① 각 수를 몇백몇십으로 어림해 보세요.

918 → 920

452 →

709 →

246 →

② 어림한 수를 보고 차가 200에 가까운 두 수를 짝 지어 보세요.

(918 ,)   (452 ,)

③ 공에 적힌 두 수의 차가 200에 가장 가까운 뺄셈식을 완성해 보세요.

 − =

1 같은 수만큼씩 뛰어서 세었습니다. 마지막 꽃과 연잎에 알맞은 수를 써넣으세요.

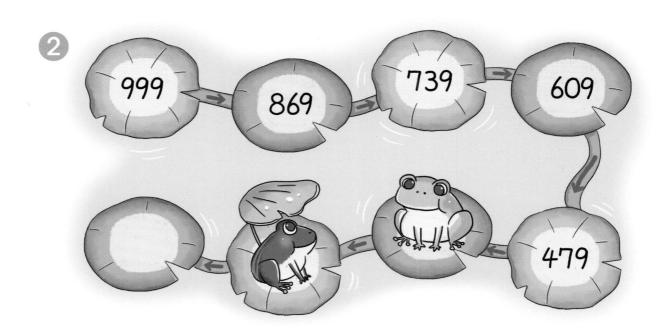

2 트럭, 승용차, 승합차가 각각의 주차 공간에 주차하려고 합니다. 주차 공간에 써 있는 식의 계산 결과가 그곳에 주차할 차에 써 있는 두 수의 합과 같도록 빈칸에 알맞은 수를 써넣으세요.

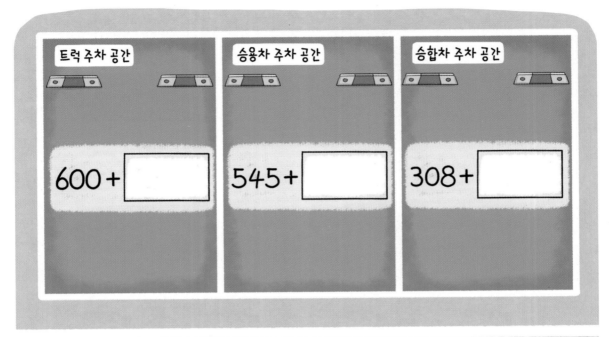

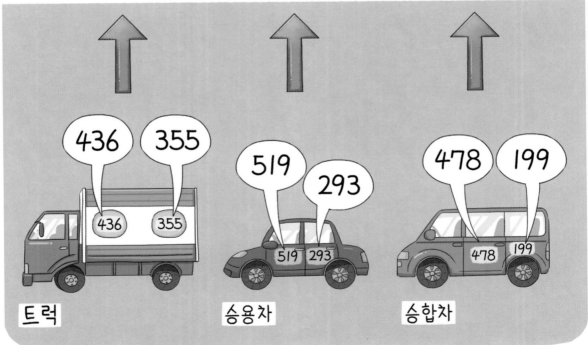

3 파란색과 빨간색 요술 상자에 공 2개를 넣으면 각 상자의 규칙에 따라 새로운 공이 나옵니다. 각 상자에 다음과 같이 공을 넣었을 때 어떤 수가 적힌 공이 나올까요? 나오는 공에 알맞은 수를 써넣으세요.

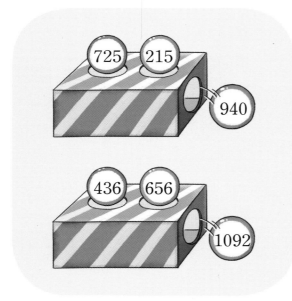

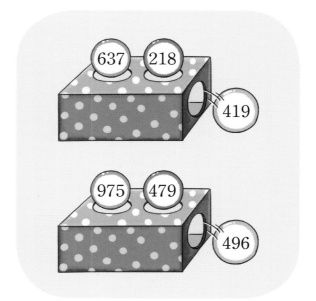

❶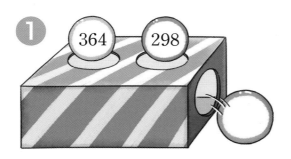

❷

❸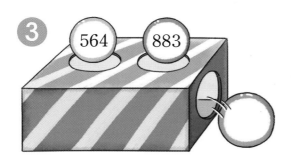

❹

4 세 종류의 쿠키 카드가 있습니다. 각각의 쿠키 카드가 나타내는 수를 알아보고 빈 카드에 알맞은 수를 써넣으세요.

2
주
사고력

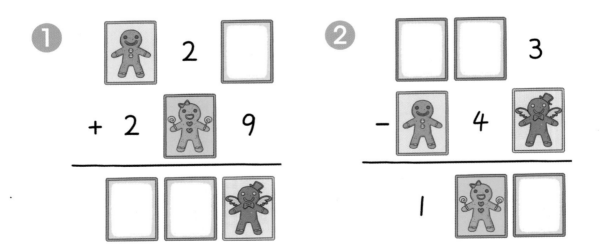

교과 사고력 완성

1 주어진 수 카드 6장을 한 번씩 모두 사용하여 (세 자리 수)＋(세 자리 수)와 (세 자리 수)－(세 자리 수)를 만들려고 합니다. 각각 계산 결과가 가장 큰 식을 만들고 계산해 보세요.

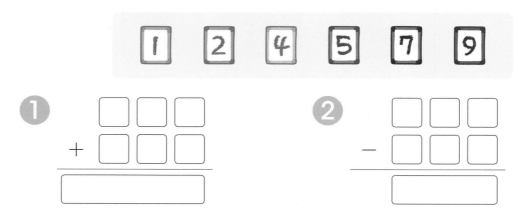

2 주어진 수 카드 5장을 한 번씩 모두 사용하여 식을 완성해 보세요.

3 다음은 같은 값을 나타내는 로마 숫자와 아라비아 숫자입니다.

로마 숫자	I	V	X	L	C	D	M
아라비아 숫자	1	5	10	50	100	500	1000

로마 숫자는 다음과 같은 규칙 에 따라 만듭니다.

> 규칙
> ① 큰 수 앞에 작은 수가 오면 뒤에 있는 큰 수에서 앞에 있는 작은 수를 빼 줍니다.
>   예 $IV=V-I=5-1=4$, $IX=X-I=10-1=9$,
> $XL=L-X=50-10=40$
> ② 큰 수 뒤에 작은 수가 오면 앞에 있는 큰 수에 뒤에 있는 작은 수를 더해 줍니다.
>   예 $VII=V+I+I=5+1+1=7$, $XI=X+I=10+1=11$,
> $CL=C+L=100+50=150$
> ③ 로마 숫자에서는 I, X, C, M은 3번까지 연속해서 쓸 수 있고 V, L, D는 1번만 쓸 수 있습니다.
>   예 $III=1+1+1=3$, $XX=10+10=20$,
> $CC=100+100=200$, $MMM=1000+1000+1000=3000$

1 로마 숫자로 나타낸 두 수의 합을 구하여 로마 숫자로 나타내어 보세요.

$$\boxed{CCLXVIII} \qquad \boxed{CDXIV}$$

(   )

2 로마 숫자로 나타낸 두 수의 차를 구하여 로마 숫자로 나타내어 보세요.

$$\boxed{DCXLII} \qquad \boxed{CCCXXIX}$$

(   )

1 계산해 보세요.

(1)
```
    8 2 6
  + 1 8 4
```

(2)
```
    6 0 3
  - 1 2 9
```

(3) 357＋207

(4) 911－788

2 보기 와 같은 방법으로 계산해 보세요.

> 보기
>
> $$328＋165＝(300＋100)＋(20＋60)＋(8＋5)$$
> $$＝400＋80＋13$$
> $$＝493$$

634＋283 _____

_____

_____

3 빈칸에 알맞은 수를 써넣으세요.

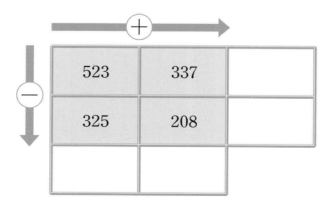

+		
523	337	
325	208	

4 짝 지은 두 수의 차를 아래의 빈칸에 써넣으세요.

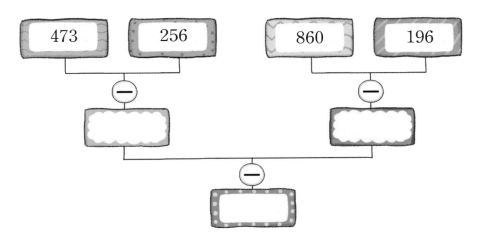

5 비행기에 타야 할 승객은 남자가 184명, 여자가 207명입니다. 비행기에 타야 할 승객은 모두 몇 명인지 식을 쓰고 답을 구해 보세요.

식 _____

답 _____

6 윤명이네 학교 도서관에 책이 940권 있습니다. 그중에서 262권을 빌려갔다면 도서관에 남은 책은 몇 권인지 식을 쓰고 답을 구해 보세요.

식 _____

답 _____

7 사각형 안에 있는 수의 합을 구해 보세요.

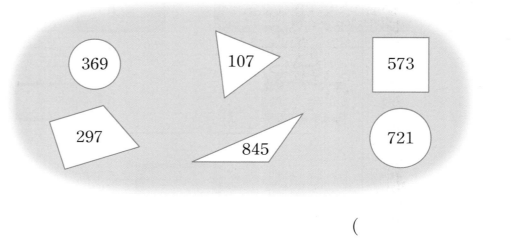

(   )

8 주어진 수 카드 3장을 한 번씩 모두 사용하여 세 자리 수를 만들려고 합니다. 만들 수 있는 가장 큰 수와 가장 작은 수의 차를 구해 보세요.

$$\boxed{6} \boxed{0} \boxed{4}$$

(   )

9 ☐ 안에 알맞은 수를 써넣으세요.

(1)
$$
\begin{array}{r}
3\ \boxed{}\ 7 \\
+\ 2\ 8\ \boxed{} \\
\hline
\boxed{}\ 3\ 0
\end{array}
$$

(2)
$$
\begin{array}{r}
\boxed{}\ 6\ 4 \\
-\ 3\ \boxed{}\ 8 \\
\hline
3\ 3\ \boxed{}
\end{array}
$$

10 길이가 388 cm인 색 테이프 2장을 그림과 같이 이어 붙였습니다. 이어 붙인 색 테이프의 전체 길이는 몇 cm인지 구해 보세요.

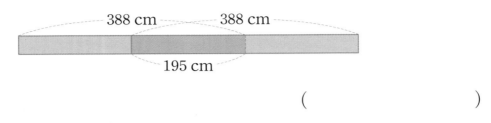

388 cm   388 cm

195 cm

(   )

2
주

평가

11 토요일과 일요일에 박물관에 입장한 관람객 수입니다. 토요일과 일요일 중 무슨 요일에 관람객이 몇 명 더 왔는지 차례로 써 보세요.

관람객 수

	어른	어린이
토요일	348명	257명
일요일	298명	287명

(   ), (   )

12 다음 중 두 수를 골라 고른 두 수의 차가 가장 큰 식을 만들어 계산해 보세요.

692   837   529   564

☐ − ☐ = ☐

정답과 풀이 p.12

13 어떤 수에 376을 더해야 할 것을 잘못하여 뺐더니 285가 되었습니다. 바르게 계산하면 얼마인지 구해 보세요.

(   )

14 0부터 9까지의 수 중에서 □ 안에 들어갈 수 있는 수를 모두 써 보세요.

(1)
$$34\square+811 > 1157$$

(   )

(2)
$$635-2\square8 < 357$$

(   )

15 주어진 수 카드 5장을 한 번씩 모두 사용하여 식을 완성해 보세요.

$$\square\,6\,3 - 4\,\square\,\square = \square\,\square\,6$$

1 다음과 같이 A 코스, B 코스, C 코스 3개의 집라인 코스가 있습니다. 가장 긴 코스와 가장 짧은 코스의 길이의 차는 몇 m인지 알아보세요.

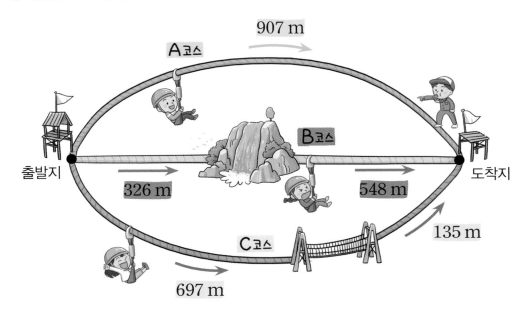

(1) B 코스의 길이는 몇 m일까요?

(   )

(2) C 코스의 길이는 몇 m일까요?

(   )

(3) 가장 긴 코스와 가장 짧은 코스의 길이의 차는 몇 m인지 구해 보세요.

(   )

단원과 관련된
선 이야기를
살펴보아요.

두 점을 이어 보아요

우리 주위에서 볼 수 있는 선들은 셀 수 없이 많은 점들이 모여서 만들어지는 것입니다. 그 모양은 굽은 선과 곧은 선으로 나눌 수 있답니다.

굽은 선과 곧은 선 중 어느 선이 더 짧아 보이나요? 물론 곧은 선입니다. 곧은 선은 두 점을 곧게 이은 선으로 주위에서 많이 볼 수 있습니다. 그럼 곧은 선에는 어떤 종류가 있고, 어떻게 활용되는지 알아볼까요?

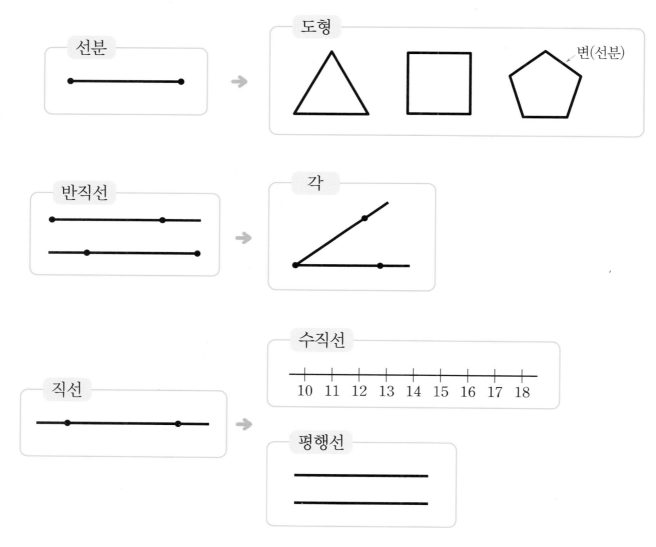

할머니 댁에 가려면 어느 길로 가야 더 적게 걸을 수 있는지 찾아 ◯표 하세요.

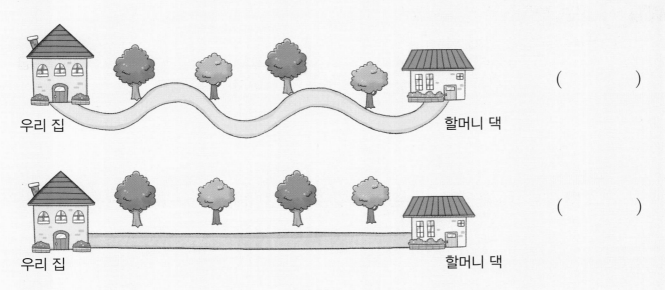

우리 집   할머니 댁   (   )

우리 집   할머니 댁   (   )

 알맞게 이어 보세요.

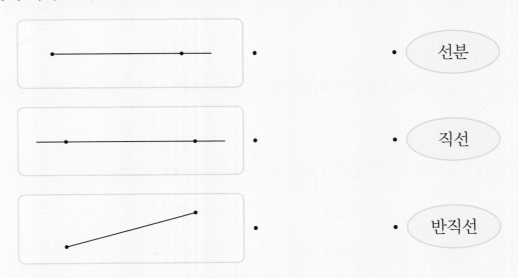

•   선분

•   직선

•   반직선

 알맞은 말에 ◯표 하세요.

➡ (선분 , 반직선 , 직선) ㄱㄴ

➡ 반직선 (ㄷㄹ , ㄹㄷ)

개념 1 선분, 반직선, 직선 알아보기

- 선분: 두 점을 곧게 이은 선

> 선분 ㄱㄴ 또는 선분 ㄴㄱ ➡ 점 ㄱ과 점 ㄴ을 이은 선분
>
> ㄱ ●━━━━━━━━━━━━● ㄴ
>
> ✬선분의 양쪽에는 끝점이 있습니다.
>
> 주의 선분 ㄱㄴ과 선분 ㄴㄱ은 서로 같은 도형입니다.

- 반직선: 한 점에서 시작하여 한쪽으로 끝없이 늘인 곧은 선

> 반직선 ㄱㄴ ➡ 점 ㄱ에서 시작하여 점 ㄴ을 지나는 반직선
>
> ㄱ ●━━━━━━━●━━━━ ㄴ
>
> 반직선 ㄴㄱ ➡ 점 ㄴ에서 시작하여 점 ㄱ을 지나는 반직선
>
> ━━━━●━━━━━━━━● ㄴ
>   ㄱ
>
> ✬반직선은 한쪽에만 끝점이 있습니다.
>
> 주의 반직선 ㄱㄴ과 반직선 ㄴㄱ은 끝없이 늘인 방향이 다르므로 같다고 할 수 없습니다.
> (시작점 ㄱ, 지나는 점 ㄴ / 시작점 ㄴ, 지나는 점 ㄱ)

- 직선: 선분을 양쪽으로 끝없이 늘인 곧은 선

> 직선 ㄱㄴ 또는 직선 ㄴㄱ ➡ 점 ㄱ과 점 ㄴ을 지나는 직선
>
> ━━━━●━━━━━━━●━━━━ ㄴ
>   ㄱ
>
> ✬직선은 양쪽 끝이 정해지지 않은 선입니다.
>
> 주의 직선 ㄱㄴ과 직선 ㄴㄱ은 서로 같은 도형입니다.

개념 확인 문제

1-1 선분을 찾아 ◯표 하세요.

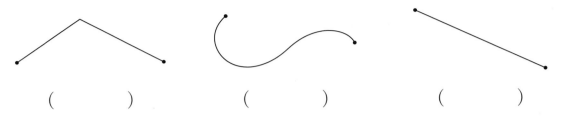

(   )   (   )   (   )

1-2 반직선을 찾아 ◯표 하세요.

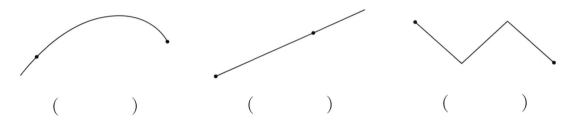

(   )   (   )   (   )

1-3 직선을 찾아 ◯표 하세요.

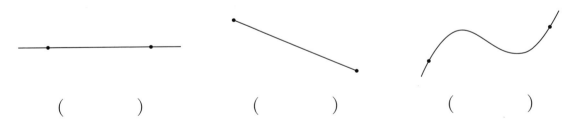

(   )   (   )   (   )

1-4 도형의 이름을 써 보세요.

ㄱ ㄴ	ㄷ ㄹ	ㅁ ㅂ

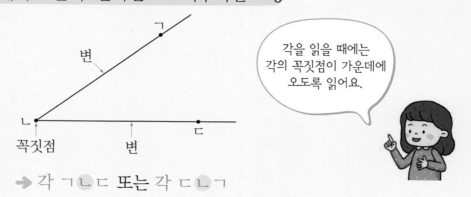

개념 2 **각 알아보기**

• 각: 한 점에서 그은 두 반직선으로 이루어진 도형

각을 읽을 때에는 각의 꼭짓점이 가운데에 오도록 읽어요.

➡ 각 ㄱㄴㄷ 또는 각 ㄷㄴㄱ

반직선 ㄴㄱ과 반직선 ㄴㄷ을 변 ㄴㄱ과 변 ㄴㄷ이라고 합니다.

점 ㄱ, 점 ㄴ, 점 ㄷ을 이용하여 만든 각			
각의 꼭짓점	점 ㄴ	점 ㄷ	점 ㄱ
각 읽기	각 ㄱㄴㄷ 또는 각 ㄷㄴㄱ	각 ㄱㄷㄴ 또는 각 ㄴㄷㄱ	각 ㄴㄱㄷ 또는 각 ㄷㄱㄴ
변 읽기	변 ㄴㄱ, 변 ㄴㄷ	변 ㄷㄱ, 변 ㄷㄴ	변 ㄱㄷ, 변 ㄱㄴ

개념 3 **직각 알아보기**

• 직각: 종이를 반듯하게 두 번 접었을 때 생기는 각

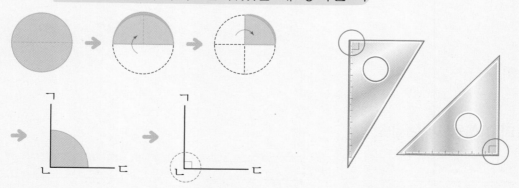

직각 ㄱㄴㄷ을 나타낼 때에는 꼭짓점 ㄴ에 ⌐ 표시를 합니다.

개념 확인 문제

2-1 그림을 보고 ☐ 안에 알맞은 말을 써넣으세요.

그림에 표시한 부분과 같이 한 점에서 그은 두 반직선으로
이루어진 도형을 ☐(이)라고 합니다.

3
주

교과서

2-2 세 점을 이용하여 각을 그려 보세요.

(1)

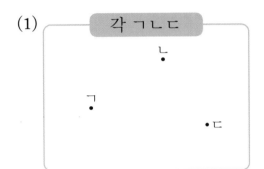

(2)

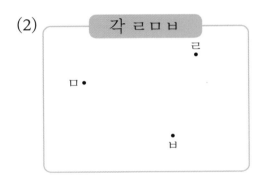

3-1 도형에서 직각을 찾아 └ 로 표시해 보세요.

(1)

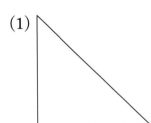

(2)

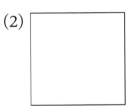

3-2 직각이 가장 많은 도형을 찾아 기호를 써 보세요.

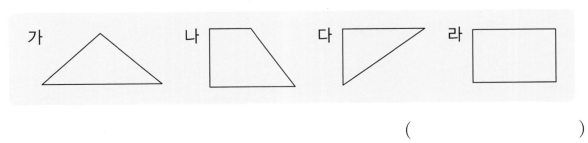

(   )

개념 4 직각삼각형 알아보기

• 직각삼각형: 한 각이 직각인 삼각형

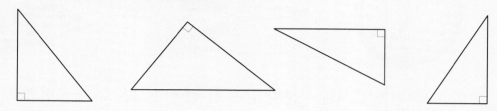

• 직각삼각형인지 알아보기

직각 삼각자의 직각인 부분을 대어 직각이 있는지 알아봅니다.

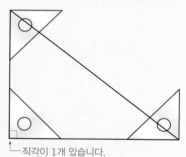

└ 직각이 1개 있습니다.

➡ 한 각이 직각이므로 직각삼각형이 맞습니다.

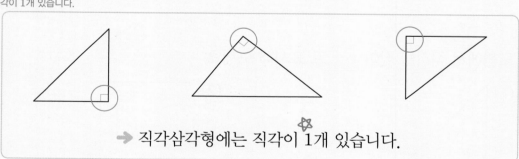

➡ 직각삼각형에는 직각이 1개 있습니다.

• 직각삼각형 그리기

직각 삼각자의 직각 부분을 이용하여 그립니다.

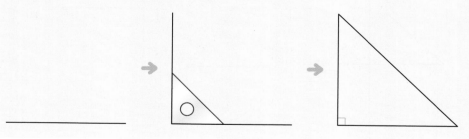

개념 확인 문제

4-1 직각을 찾아 ⌐ 로 표시해 보세요.

(1)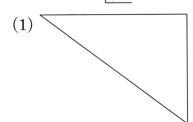

(2)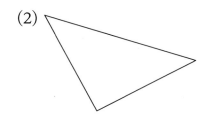

4-2 도형을 보고 ☐ 안에 알맞은 말을 써넣으세요.

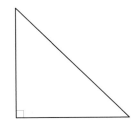

한 각이 직각인 삼각형을 [   ]
(이)라고 합니다.

4-3 직각삼각형을 모두 찾아 ○표 하세요.

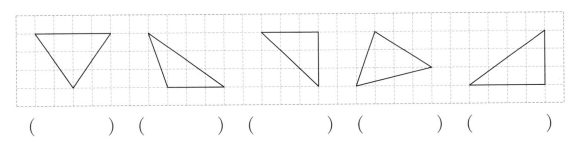

(   ) (   ) (   ) (   ) (   )

4-4 모눈종이에 주어진 선분을 한 변으로 하는 직각삼각형을 그려 보세요.

(1)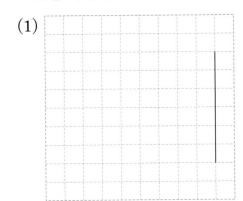

(2)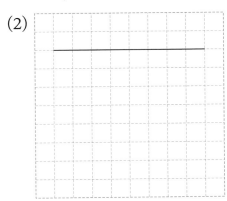

3
주
교과서

개념 5 **직사각형 알아보기**

- 직사각형: 네 각이 모두 직각인 사각형

 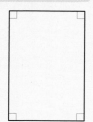 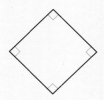 

개념 6 **정사각형 알아보기**

- 정사각형: 네 각이 모두 직각이고 네 변의 길이가 모두 같은 사각형

- 정사각형이 아닌 이유

➡ 네 각이 모두 직각이지만 네 변의 길이가 모두 같지 않으므로 정사각형이 아닙니다.

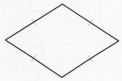
➡ 네 변의 길이가 모두 같지만 네 각이 모두 직각이 아니므로 정사각형이 아닙니다.

참고

✿ 직사각형과 정사각형의 관계

직사각형	모든 직사각형을 정사각형이라고 할 수 없습니다. ⟶	정사각형
	⟵ 모든 정사각형을 직사각형이라고 할 수 있습니다.	

개념 확인 문제

5-1 직사각형을 모두 찾아 기호를 써 보세요.

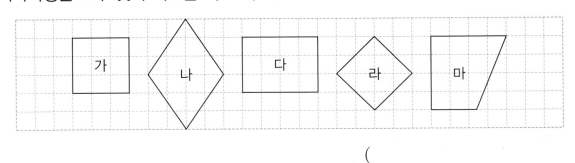

(   )

5-2 주어진 선분을 한 변으로 하는 직사각형을 그려 보세요.

(1)

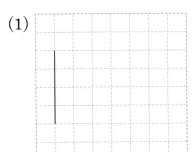

(2)

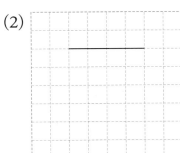

6-1 정사각형은 모두 몇 개인지 써 보세요.

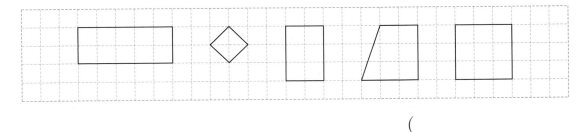

(   )

6-2 주어진 선분을 한 변으로 하는 정사각형을 그려 보세요.

(1)

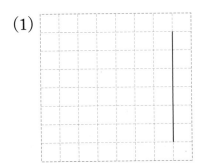

(2)

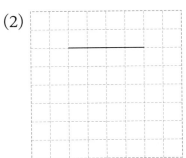

마법 상자를 열었을 때 나오는 도형을 붙임딱지에서 찾아 붙여 보세요.

준비물 붙임딱지

각이 4개인 도형

반직선 ㄱㄴ

직각 ㄹㅁㅂ

선분 ㄹㄷ

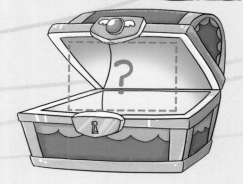

반직선 ㄷㄹ

직선 ㄷㄹ

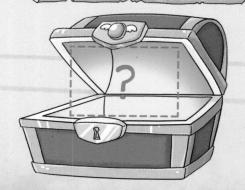

각 ㄴㄱㄷ

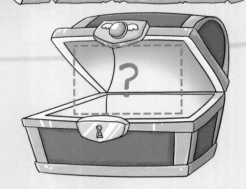

직선 ㄱㄴ

각이 5개인 도형

반직선 ㄴㄱ

반직선 ㄹㄷ

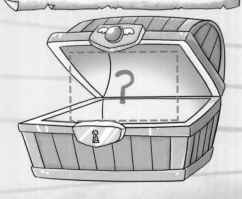

선분 ㄱㄴ

준비물 · 붙임딱지

하늘의 별들을 이어서 그 모양에 동물이나 물건, 신화 속의 인물 등의 이름을 붙여 놓은 것을 별자리라고 합니다. 별자리를 따라 선을 그은 다음 선분의 수를 세고 붙임딱지를 붙여 별자리를 완성해 보세요.

게자리

양자리

개

개

사자자리

☐ 개

☐ 개

천칭자리

개념 1 선분, 반직선, 직선 알아보기

01 선분을 찾아 기호를 써 보세요.

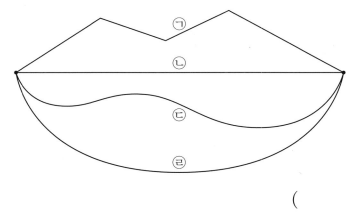

(   )

02 알맞은 것끼리 선으로 이어 보세요.

- 직선
- 선분
- 반직선

03 직선은 모두 몇 개인지 써 보세요.

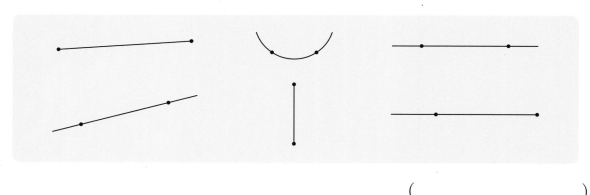

(   )

04 반직선 ㅂㅁ을 그어 보세요.

05 도형의 이름을 써 보세요.

(1) 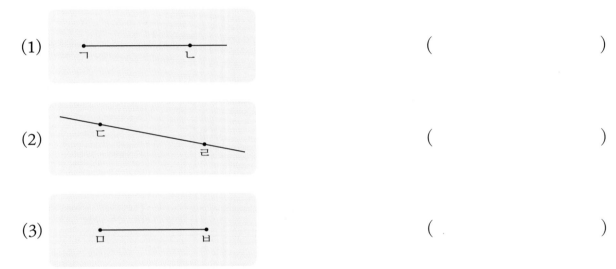 ( )

(2) ( )

(3) ( )

06 점을 이용하여 선분, 반직선, 직선을 그어 보세요.

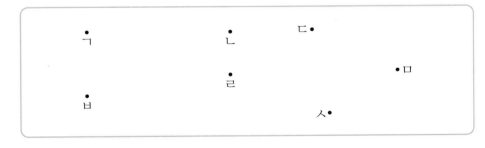

(1) 선분 ㄷㅅ을 그어 보세요.

(2) 반직선 ㄹㅂ을 그어 보세요.

(3) 직선 ㄱㄴ을 그어 보세요.

2^{단계} 교과서 개념 다지기

개념 2 각 알아보기

07 각을 찾아 ◯표 하세요.

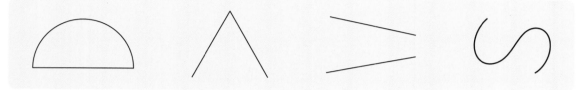

08 각 ㅇㅅㅈ을 완성해 보세요.

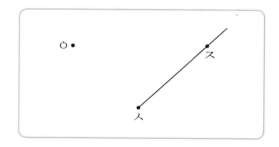

09 도형에서 찾을 수 있는 각은 모두 몇 개인지 써 보세요.

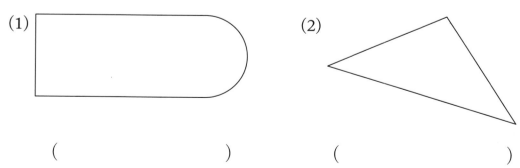

(1)

(2)

(   )   (   )

개념3 직각 알아보기

10 직각 삼각자를 바르게 이용하여 직각을 그린 것에 ◯표 하세요.

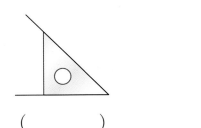   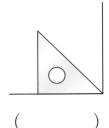   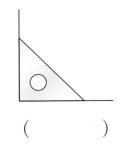

(   )   (   )   (   )

11 도형에서 직각을 찾아 직각이 몇 개인지 각각 써 보세요.

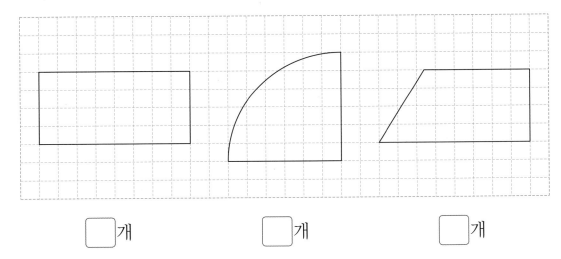

☐개   ☐개   ☐개

12 시계에서 직각을 찾아 ∟ 로 나타내고 시각을 읽어 보세요.

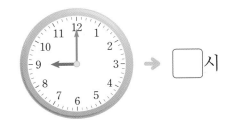 → ☐시

개념 **4** 직각삼각형 알아보기

13 도형판에 만든 삼각형의 이름을 써 보세요.

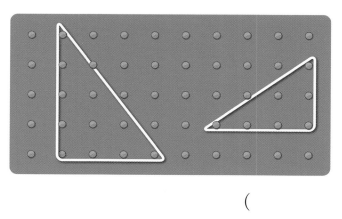

(   )

14 직각삼각형을 모두 찾아 기호를 써 보세요.

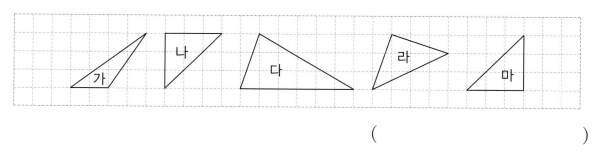

(   )

15 직각 삼각자를 이용하여 주어진 선분으로 직각삼각형을 그려 보세요.

(1)
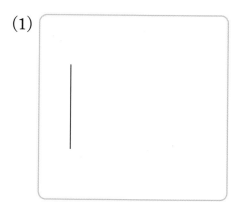

(2)
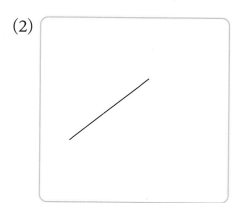

개념 5 직사각형과 정사각형 알아보기

16 그림을 보고 물음에 답하세요.

(1) 직사각형을 모두 찾아 기호를 써 보세요.

(   )

(2) 정사각형을 모두 찾아 기호를 써 보세요.

(   )

3
주

교과서

17 정사각형입니다. ☐ 안에 알맞은 수를 써넣으세요.

(1)
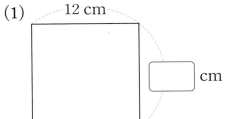

(2)
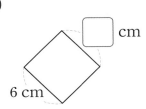

18 다음 도형의 이름이 될 수 있는 것을 모두 찾아 기호를 써 보세요.

ㄱ 사각형   ㄴ 직각삼각형
ㄷ 직사각형   ㄹ 정사각형

(   )

★ 도형의 성질 알아보기

1 잘못 설명한 것을 찾아 기호를 써 보세요.

> ㉠ 정사각형은 직각이 4개입니다.
> ㉡ 직각삼각형은 두 각이 직각입니다.
> ㉢ 직사각형은 네 각이 모두 직각입니다.

답 _____

**개념
피드백**
• 직각삼각형은 한 각이 직각인 삼각형입니다.
• 직사각형은 네 각이 모두 직각인 사각형입니다.
• 정사각형은 네 각이 모두 직각이고 네 변의 길이가 모두 같은 사각형입니다.

1-1 잘못 설명한 것을 모두 찾아 기호를 써 보세요.

> ㉠ 직사각형은 네 각이 모두 직각입니다.
> ㉡ 직사각형은 네 변의 길이가 모두 같습니다.
> ㉢ 정사각형은 직사각형이라고 할 수 있습니다.
> ㉣ 직사각형은 정사각형이라고 할 수 있습니다.

(   )

1-2 ㉠＋㉡＋㉢을 구해 보세요.

> • 직각삼각형에는 직각이 ㉠개 있습니다.
> • 한 각에는 꼭짓점이 ㉡개 있습니다.
> • 정사각형에는 길이가 같은 변이 ㉢개 있습니다.

(   )

★ 각의 수 구하기

2 도형에 있는 각은 모두 몇 개인지 써 보세요.

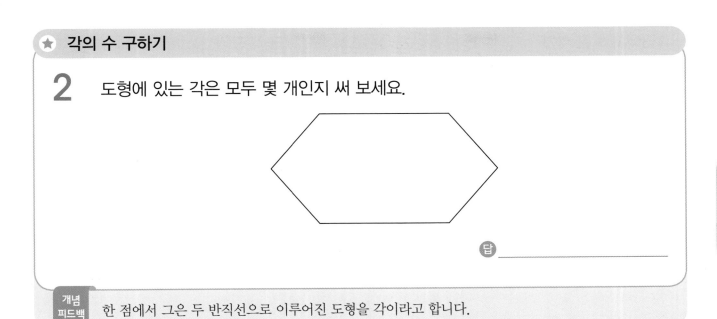

답 _____

> **개념 피드백** 한 점에서 그은 두 반직선으로 이루어진 도형을 각이라고 합니다.

2-1 각의 수가 가장 많은 도형을 찾아 기호를 써 보세요.

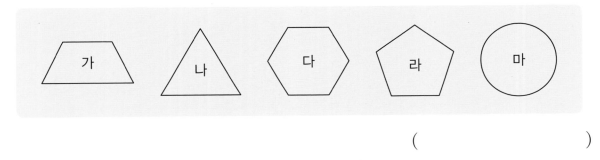

(   )

2-2 두 도형에 있는 각의 수의 합은 모두 몇 개인지 구해 보세요.

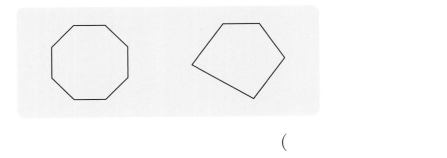

(   )

⭐ **그림에서 도형 찾기**

3 직사각형 모양의 종이를 점선을 따라 잘랐습니다. 이때 만들어지는 직각삼각형은 모두 몇 개인지 써 보세요.

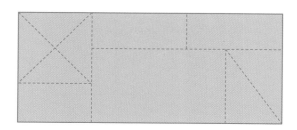

답 _____

한 각이 직각인 삼각형을 직각삼각형이라고 합니다.

3-1 그림에서 직각삼각형을 모두 찾아 색칠해 보세요.

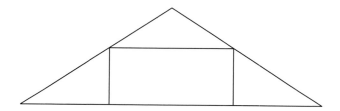

3-2 그림에서 직사각형을 모두 찾아 색칠해 보세요.

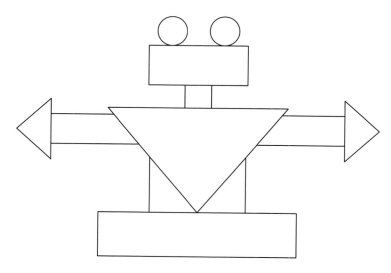

★ 정사각형의 변의 길이 구하기

4 네 변의 길이의 합이 32 cm인 정사각형입니다. ☐ 안에 알맞은 수를 써넣으세요.

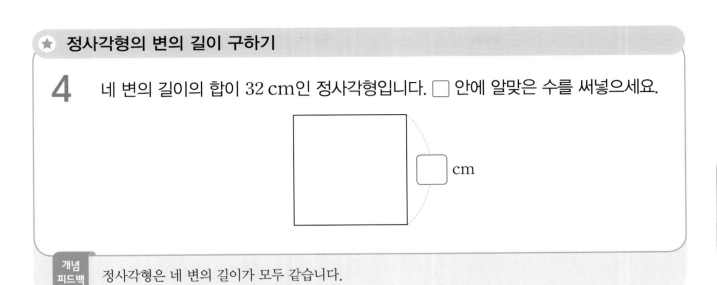

☐ cm

3
주

교과서

개념 피드백 정사각형은 네 변의 길이가 모두 같습니다.

4-1 네 변의 길이의 합이 40 cm인 정사각형입니다. ☐ 안에 알맞은 수를 써넣으세요.

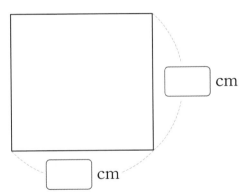

☐ cm

☐ cm

4-2 네 변의 길이의 합이 28 cm인 정사각형이 있습니다. 이 정사각형의 한 변의 길이는 몇 cm인지 구해 보세요.

(   )

⭐ **크고 작은 도형의 개수 구하기**

5 도형에서 찾을 수 있는 크고 작은 직사각형은 모두 몇 개인지 구해 보세요.

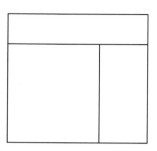

답 _____

개념 피드백 직사각형은 네 각이 모두 직각인 사각형입니다.

5-1 도형에서 찾을 수 있는 크고 작은 정사각형은 모두 몇 개인지 구해 보세요.

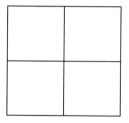

(   )

5-2 도형에서 찾을 수 있는 크고 작은 직각삼각형은 모두 몇 개인지 구해 보세요.

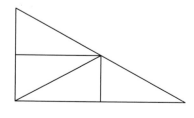

(   )

★ 선분, 반직선, 직선 긋기

6 4개의 점 중에서 2개를 골라 그을 수 있는 직선은 모두 몇 개인지 구해 보세요.

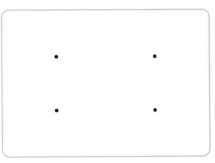

답 _____

3 주

교과서

개념 피드백
- 두 점을 곧게 이은 선을 선분이라고 합니다.
- 한 점에서 시작하여 한쪽으로 끝없이 늘인 곧은 선을 반직선이라고 합니다.
- 선분을 양쪽으로 끝없이 늘인 곧은 선을 직선이라고 합니다.

6-1 점 ㄱ과 다른 한 점을 이어서 그릴 수 있는 선분은 모두 몇 개인지 써 보세요.

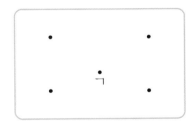

(   )

6-2 세 사람 중 다른 반직선을 그은 사람은 누구인지 써 보세요.

영진: 반직선 ㄷㄱ을 그렸어.

승주: 나는 반직선 ㄴㄱ을 그렸어.

명철: 반직선 ㄷㄴ을 그렸어.

(   )

 다음 도형은 정사각형입니다. 그 이유를 설명해 보세요.

설명하기 네 각이 모두 [ ] 이고 네 변의 길이가 모두

(같은 , 다른) 사각형이므로 정사각형입니다.

 다음 도형은 정사각형이 아닙니다. 그 이유를 설명해 보세요.

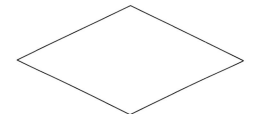

설명하기

3 네 변의 길이의 합이 80 m인 직사각형 모양의 울타리가 있습니다. 울타리의 가로는 몇 m인지 구해 보세요.

15 m

■ m

✏️ 구하려는 것, 주어진 것에 선을 그어 봅니다.

해결하기 직사각형은 마주 보는 두 변의 길이가 (같습니다 , 다릅니다).

직사각형의 가로를 ■ m라 하면 ■ + ☐ + ■ + ☐ =80입니다.

■ + ■ = ☐ , ■ = ☐

따라서 울타리의 가로는 ☐ m입니다.

답 구하기 ☐

4 네 변의 길이의 합이 60 cm인 직사각형입니다. 직사각형의 세로는 몇 cm인지 구해 보세요.

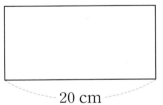

20 cm

✏️ 구하려는 것, 주어진 것에 선을 그어 봅니다.

해결하기

답 구하기

준비물 도형판, 붙임딱지

1 함께 게임을 함께 할 짝꿍을 정합니다. (개인전도 가능합니다.)

2 직사각형 모양 조각을 이용하여 주어진 도형을 겹치지 않게 덮습니다.
(유령이 있는 곳에는 모양 조각을 놓지 못합니다.)

3 사용한 모양 조각이 가장 적은 사람이 이깁니다.

직각삼각형과 정사각형 모양 붙임딱지를 이용하여 동물 모양을 완성해 보세요.

준비물 ◀ 붙임딱지

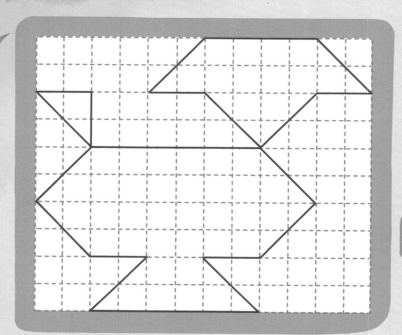

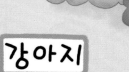
강아지

나랑 같이 놀
강아지 모양을
만들어 줘.

물고기

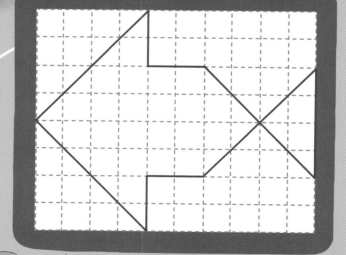

준비물 ◀ 붙임딱지

직사각형 모양 붙임딱지 2가지를 이용하여 빈 곳에 겹치지 않게 붙여 강아지 장난감을 완성해 보세요.

물고기 모양을 만들어 줘.

1 서우와 동진이는 상자에서 도형을 하나씩 뽑았습니다. 서우와 동진이의 대화를 보고 뽑은 도형이 어떤 도형인지 알아보세요.

내가 뽑은 도형은 4개의 변과 4개의 꼭짓점이 있어. 그리고 각이 모두 직각이야.

정말? 나도 그런데~. 그리고 내 도형은 네 변의 길이도 모두 같아.

① 서우가 뽑은 도형은 무엇일까요?

(   )

② 동진이가 뽑은 도형은 무엇일까요?

(   )

2 거미가 거미줄을 만들고 있는 중입니다. 거미줄은 뱃속에 있는 액체가 몸 밖으로 나오는 순간, 공기에 닿으면서 굳어 실이 됩니다. 거미줄의 여러 가지 실 중 가로실은 점성이 강합니다. 지금까지 거미가 만든 거미줄 모양에서 찾을 수 있는 직각은 모두 몇 개인지 알아보세요.

끈끈한 성질

4주

사고력

① 거미줄 모양에서 직각을 모두 찾아 ⌐ 로 표시해 보세요.

② 거미줄 모양에서 찾을 수 있는 직각은 모두 몇 개일까요?

(   )

3 데칼코마니는 일정한 무늬를 종이에 찍어 다른 표면에 옮겨 붙이는 기법을 말합니다. 기연이가 미술 시간에 데칼코마니를 이용해 다양한 무늬를 만들어 냈습니다. 기연이가 데칼코마니 기법으로 그림을 그린 도화지를 보고 도화지의 네 변의 길이의 합은 몇 cm인지 알아보세요.

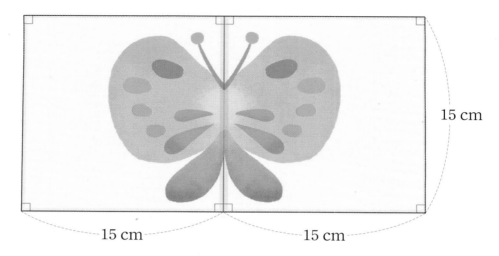

15 cm

15 cm   15 cm

① 기연이가 사용한 도화지는 어떤 도형인지 알맞은 말에 ○표 하세요.

(직사각형 , 정사각형)

② 도화지의 세로는 15 cm입니다. 도화지의 가로는 몇 cm일까요?

(   )

③ 도화지의 네 변의 길이의 합은 몇 cm일까요?

(   )

4 사방치기는 평평한 땅에 놀이판을 그려 놓고 돌을 던진 후, 그림의 첫 칸부터 마지막 칸까지 다녀오는 놀이입니다. 사방치기 놀이판을 보고 찾을 수 있는 크고 작은 직각삼각형은 모두 몇 개인지 알아보세요.

1 직각삼각형 1개로 이루어진 직각삼각형은 몇 개일까요?

(   )

2 직각삼각형 2개로 이루어진 직각삼각형은 몇 개일까요?

(   )

3 사방치기 놀이판에서 찾을 수 있는 크고 작은 직각삼각형은 모두 몇 개일까요?

(   )

1 혁진이의 별자리는 양자리이고, 동생의 별자리는 게자리입니다. 혁진이와 동생의 별자리에서 찾을 수 있는 선분은 모두 몇 개인지 알아보세요.

혁진이의 별자리   동생의 별자리

1 혁진이의 별자리에서 찾을 수 있는 선분은 몇 개일까요?

(   )

2 동생의 별자리에서 찾을 수 있는 선분은 몇 개일까요?

(   )

3 혁진이와 동생의 별자리에서 찾을 수 있는 선분은 모두 몇 개일까요?

(   )

2 진주는 점심으로 엄마, 아빠와 함께 피자를 주문해 먹었습니다. 피자 8조각 중 아빠와 엄마가 각각 2조각씩 먹고, 진주는 1조각을 먹었습니다. 남은 피자에서 찾을 수 있는 크고 작은 각은 모두 몇 개인지 알아보세요.

4
주
사고력

1 각이 1개짜리인 각은 몇 개 있는지 써 보세요.

(   )

2 각이 2개짜리인 각은 몇 개 있는지 써 보세요.

(   )

3 각이 3개짜리인 각은 몇 개 있는지 써 보세요.

(   )

4 남은 피자에서 찾을 수 있는 크고 작은 각은 모두 몇 개일까요?

(   )

3 민지와 석호는 보기 의 모양 조각을 여러 개 사용하여 아래 모양을 만들었습니다. 사용한 모양 조각의 개수가 더 많은 사람은 누구인지 구해 보세요. (단, 조각을 될 수 있는 대로 적게 사용했습니다.)

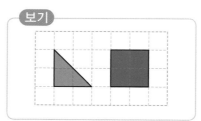

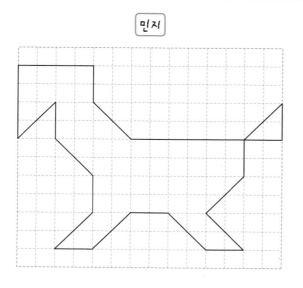

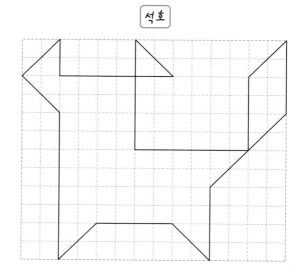

1 민지가 사용한 모양 조각은 각각 몇 개인지 구해 보세요.

 (   ), (   )

2 석호가 사용한 모양 조각은 각각 몇 개인지 구해 보세요.

(   ), (   )

3 사용한 모양 조각의 개수가 더 많은 사람은 누구인지 써 보세요.

(   )

4 마법 학교에 입학을 하려면 정해진 시각에 마법의 문을 통과해야 합니다. 여학생과 남학생은 각각 몇 시에 문을 통과해야 하는지 알아보세요.

마법의 문 통과 시각

1 시계의 긴바늘이 12를 가리켜야 합니다.
2 긴바늘과 짧은바늘이 이루는 각이 직각이어야 합니다.
3 시계의 짧은바늘이 여학생은 6보다 작은 수를 가리키고, 남학생은 6보다 큰 수를 가리켜야 합니다.

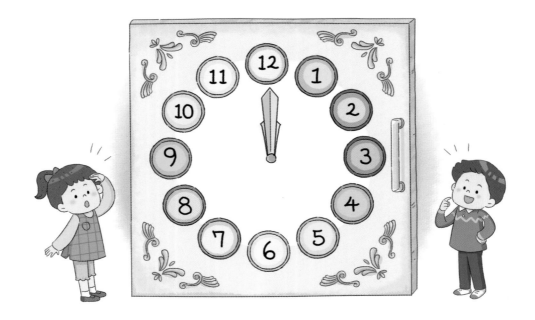

1 여학생은 몇 시에 문을 통과해야 하는지 써 보세요.

( )

2 남학생은 몇 시에 문을 통과해야 하는지 써 보세요.

( )

1 색종이를 잘라 직사각형과 직각삼각형을 만들고 있습니다. 색종이를 선을 따라 잘랐을 때 생기는 직사각형과 직각삼각형은 각각 몇 개인지 써 보세요.

직사각형	직각삼각형

2 펜토미노는 정사각형 5개를 이어 붙여 만든 도형을 말합니다. 다음 펜토미노 조각 중 모양이 다른 하나에서 찾을 수 있는 크고 작은 직사각형은 모두 몇 개인지 구해 보세요.

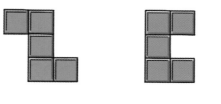 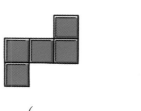

(   )

3 보기와 같이 2개의 선분을 그어 모양을 만들려고 합니다. 점을 이용하여 선분을 그어 보세요.

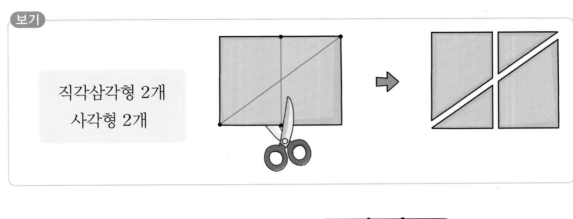

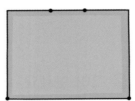

4 다음 그림에 있는 두 점을 이용하여 그릴 수 있는 직선은 모두 몇 개인지 구해 보세요.

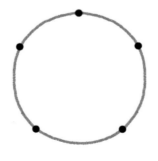

(   )

1 도형을 바르게 읽은 것에 ◯표 하세요.

ㄷ ——————— ㄹ

선분 ㄹㄷ

(   )

직선 ㄷㄹ

(   )

2 반직선 ㄴㄱ을 그어 보세요.

ㄱ ·   ㄴ ·

3 각을 읽어 보세요.

(1)
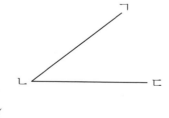

(   )

(2)
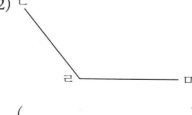

(   )

4 각 ㄹㅁㅂ을 그려 보세요.

4
주
평가

5 직각삼각형을 찾아 ○표 하세요.

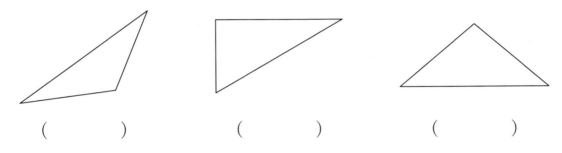

(   )   (   )   (   )

6 두 도형에 있는 각은 모두 몇 개인지 구해 보세요.

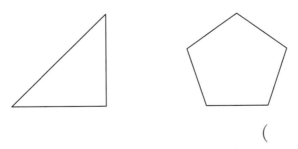

(   )

7 다음 도형은 각이 아닙니다. 그 이유를 설명해 보세요.

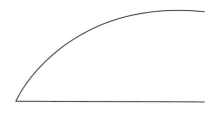

이유 _____

_____

_____

8 네 변의 길이의 합이 24 cm인 정사각형이 있습니다. 이 정사각형의 한 변의 길이는 몇 cm인지 구해 보세요.

(　　　　　　　)

9 다음은 어떤 도형을 설명한 것인지 써 보세요.

> • 꼭짓점이 3개입니다.
> • 직각이 있습니다.

(　　　　　　　)

10 크기가 같은 직사각형 모양의 종이 2장을 겹치지 않게 이어 붙여서 다음 정사각형을 만들었습니다. 이 정사각형의 네 변의 길이의 합은 몇 cm인지 구해 보세요.

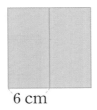

6 cm

(   )

4
주
평가

11 오전 7시부터 오후 1시까지 시계의 긴바늘과 짧은바늘이 직각을 이루는 시각을 시계에 나타내어 보세요. (단, 긴바늘은 12를 가리켜야 합니다.)

12 ㉠＋㉡을 구해 보세요.

- 직각삼각형은 직각이 ㉠개 있습니다.
- 정사각형은 직각이 ㉡개 있습니다.

(   )

13 폴리오미노는 여러 개의 정사각형을 변끼리 이어 붙여 만든 도형을 말합니다. 그중에서 정사각형 4개를 이어 붙여 만든 도형은 테트로미노라고 합니다. 다음 테트로미노에서 찾을 수 있는 크고 작은 직사각형은 모두 몇 개인지 구해 보세요.

( )

14 정사각형 2개가 되도록 선분을 한 개 그어 보세요.

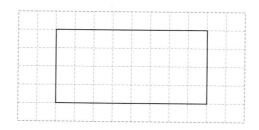

15 도형에서 찾을 수 있는 크고 작은 직각삼각형은 모두 몇 개인지 구해 보세요.

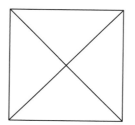

( )

1 나영이네 가족은 주말 농장에 갔습니다. 주말 농장에는 나영이가 열심히 가꾸고 있는 토마토 밭이 있습니다. 오이, 호박, 상추를 심은 밭은 모두 정사각형 모양인데 토마토 밭만 직사각형 모양입니다. 토마토 밭의 네 변의 길이의 합은 몇 m인지 알아보세요.

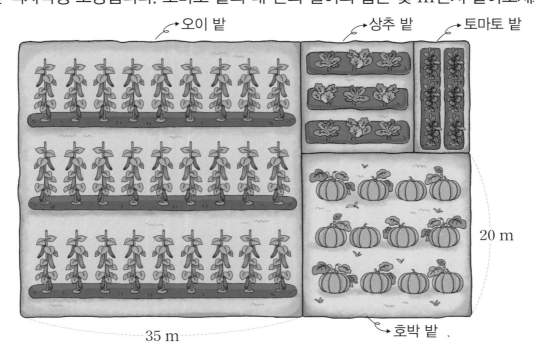

(1) 상추 밭의 한 변의 길이는 몇 m인지 구해 보세요.

( )

(2) 토마토 밭의 가로와 세로는 각각 몇 m인지 구해 보세요.

가로 ( ), 세로 ( )

(3) 토마토 밭의 네 변의 길이의 합은 몇 m인지 구해 보세요.

( )

Memo

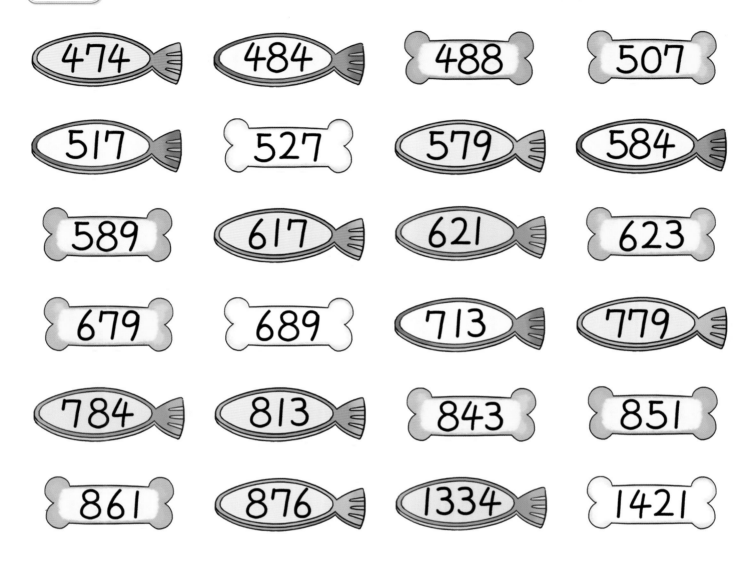

474 484 488 507

517 527 579 584

589 617 621 623

679 689 713 779

784 813 843 851

861 876 1334 1421

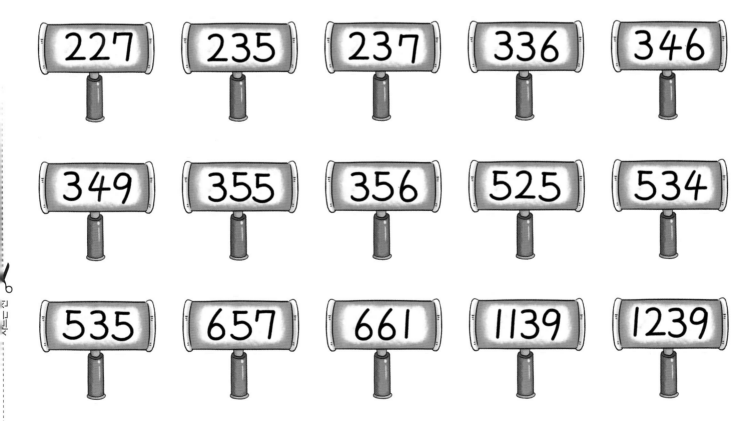

227 235 237 336 346

349 355 356 525 534

535 657 661 1139 1239

34~35쪽

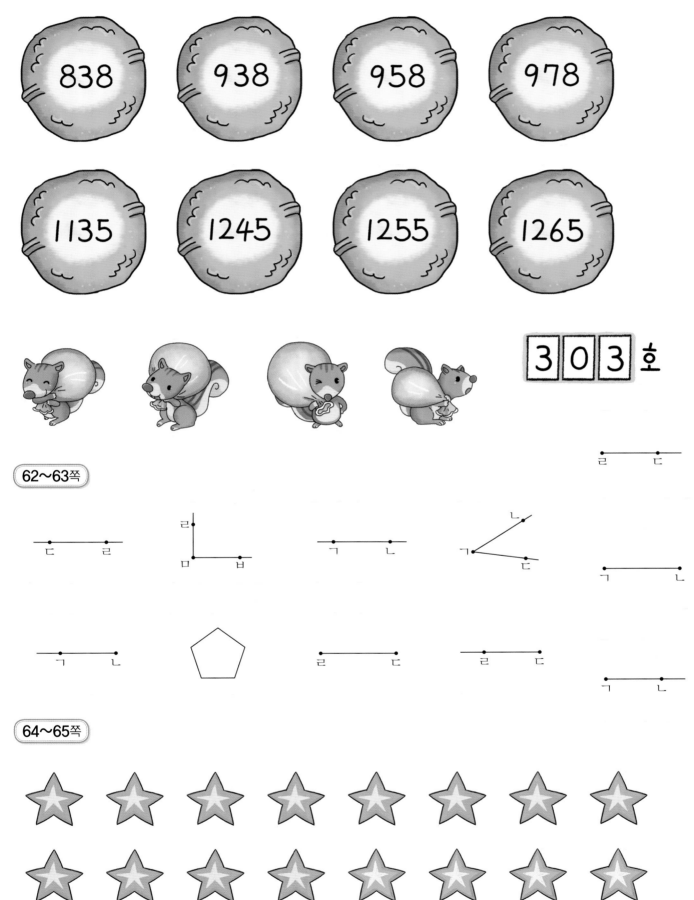

838   938   958   978

1135   1245   1255   1265

303호

62~63쪽

64~65쪽

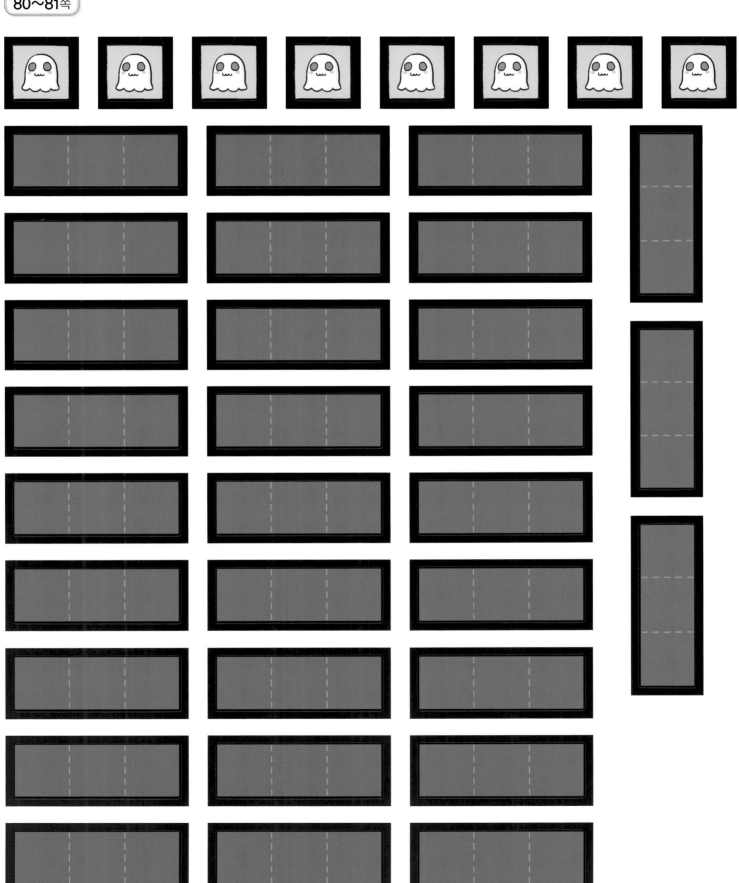

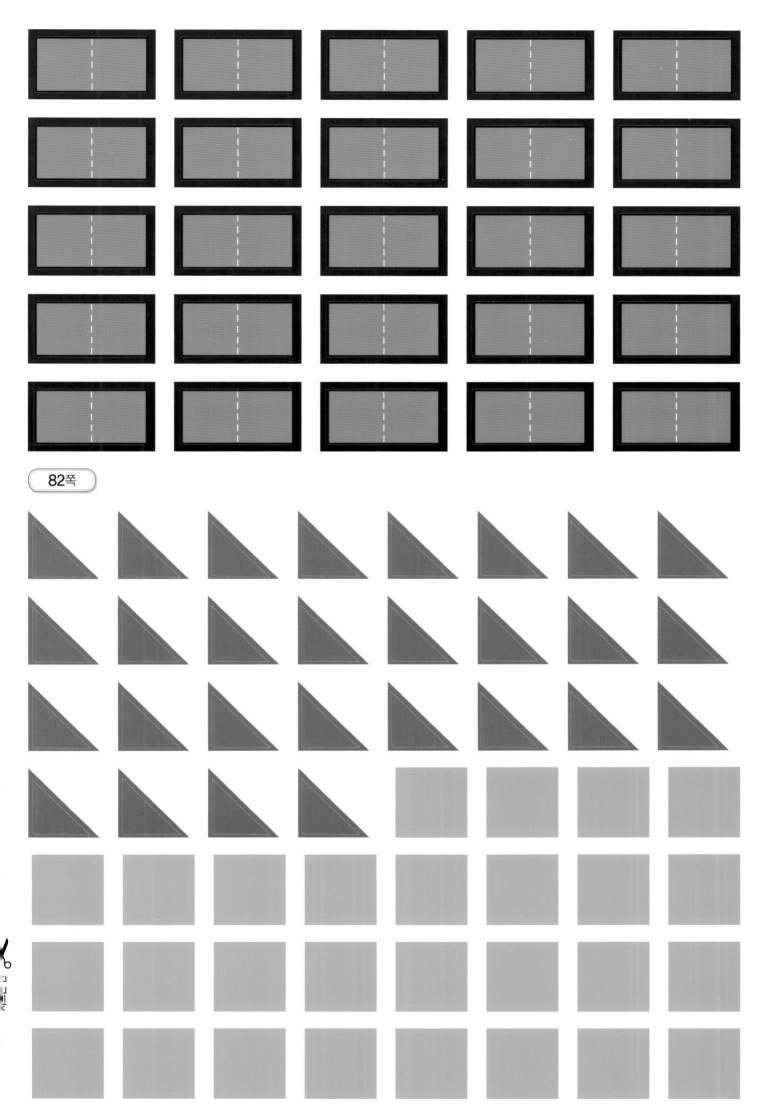

82쪽

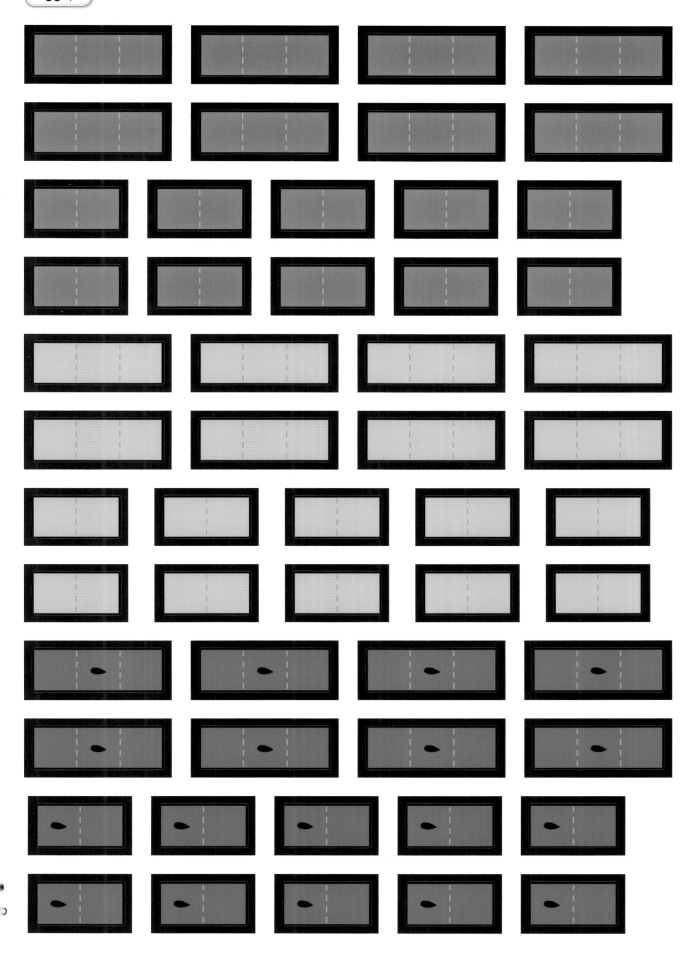

도형판

관련 단원   2. 평면도형

✏️ 80~81쪽   **PLAY** 사고력 개념 스토리 에 활용하세요.

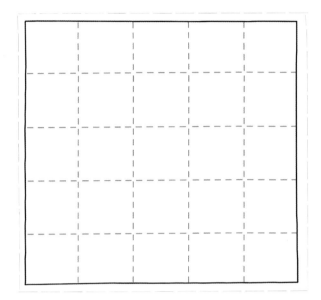

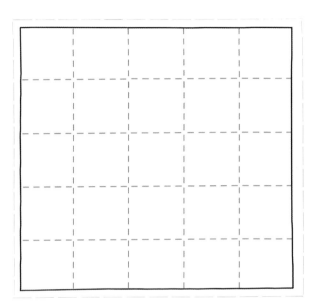

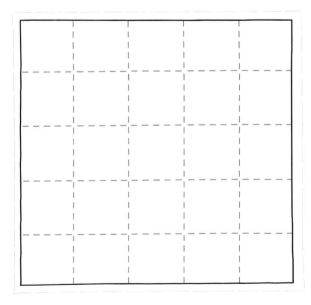

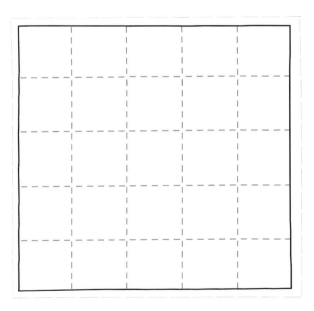

활용 방법   ① 유령 붙임딱지를 원하는 칸에 붙입니다.
② 남은 칸에 모양 조각 붙임딱지를 붙여 도형판을 채워 봅니다.

Start

GO!

교과서 개념

Run

GO!

교과서 사고력

Jump

GO!

유형 사고력

#난이도별
#천재되는_수학교재

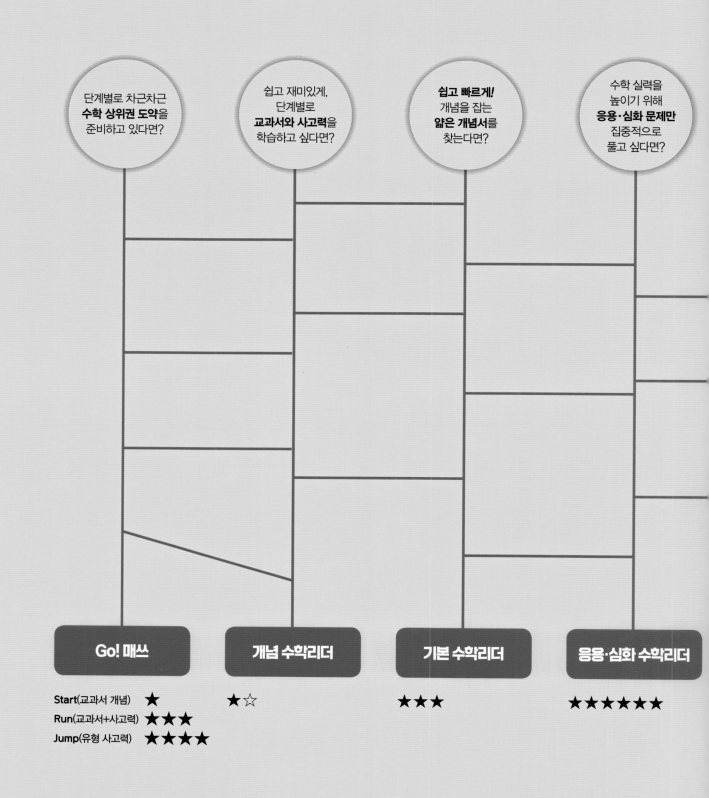

단계별로 차근차근 **수학 상위권 도약**을 준비하고 있다면?

쉽고 재미있게, 단계별로 **교과서와 사고력**을 학습하고 싶다면?

쉽고 빠르게! 개념을 잡는 **얇은 개념서**를 찾는다면?

수학 실력을 높이기 위해 **응용·심화 문제**만 집중적으로 풀고 싶다면?

| **Go! 매쓰** | **개념 수학리더** | **기본 수학리더** | **응용·심화 수학리더** |

Start(교과서 개념) ★   ★☆   ★★★   ★★★★★★
Run(교과서+사고력) ★★★
Jump(유형 사고력) ★★★★

교과서 GO! 사고력 GO!

GO! 매쓰

Run-A
교과서 사고력

정답과 풀이　　수학 3-1

정답과 해설
포인트 2가지

▶ 선생님이나 학부모가 쉽게 문제와 풀이를 한눈에 볼 수 있어요.

▶ 자세한 활동 수업에 대한 팁이 가득하게 들어 있어요.

1 덧셈과 뺄셈

역연산 관계

우리는 일상 생활에서 덧셈과 뺄셈을 많이 사용하기 때문에 덧셈이나 뺄셈이 익숙합니다. 그러나 덧셈만 잘한다고 해서 또는 뺄셈만 잘한다고 해서 수학을 잘하는 것은 아닙니다. 덧셈과 뺄셈 사이의 관계를 동시에 이해해야만 해결할 수 있는 문제들도 많기 때문입니다.

이럴 때 활용할 수 있는 것이 바로 역연산 관계입니다. 역연산이란, 계산한 결과를 계산하기 전의 수 또는 식으로 되돌아가는 계산을 말하는데 덧셈과 뺄셈 뿐만 아니라 곱셈과 나눗셈도 각각 서로 역연산 관계입니다.

🔹 덧셈과 뺄셈의 역연산 관계

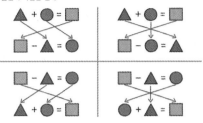

🔹 곱셈과 나눗셈의 역연산 관계

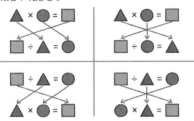

덧셈과 뺄셈의 역역산 관계를 생각하면서 주어진 수를 이용하여 덧셈식과 뺄셈식을 2개씩 완성해 보세요.

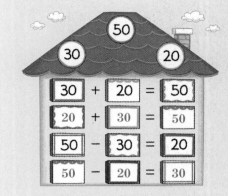

구슬에 쓰여 있는 수를 이용하여 덧셈식과 뺄셈식을 2개씩 완성해 보세요.

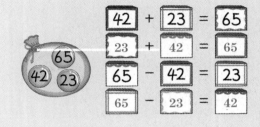

1단계 교과서 개념 잡기

개념 확인 문제

개념 1 받아올림이 없는 세 자리 수의 덧셈

· 327 + 241의 계산

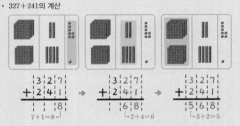

각 자리의 숫자를 맞추어 적고 일의 자리끼리, 십의 자리끼리, 백의 자리끼리 더한 값을 차례대로 씁니다.

개념 2 받아올림이 한 번 있는 세 자리 수의 덧셈

· 237 + 254의 계산

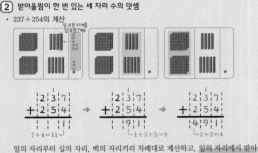

일의 자리부터 십의 자리, 백의 자리끼리 차례대로 계산하고, 일의 자리에서 받아올림이 있으면 십의 자리에 받아올려 계산합니다.

1-1 수 모형을 보고 □ 안에 알맞은 수를 써넣으세요.

$$325 + 243 = \boxed{568}$$

✤ 일 모형끼리 더하면 8개, 십 모형끼리 더하면 6개, 백 모형끼리 더하면 5개이므로 568입니다.

1-2 □ 안에 알맞은 수를 써넣으세요.

(1)
```
  4 6 4
+ 1 2 5
-------
  5 8 9
```
(2)
```
  1 7 3
+ 2 1 2
-------
  3 8 5
```

✤ 일의 자리, 십의 자리, 백의 자리 순서로 계산합니다.

1-3 계산해 보세요.

(1) 238 + 341 = **579**   (2) 526 + 140 = **666**

✤ 일의 자리끼리, 십의 자리끼리, 백의 자리끼리 더합니다.

2-1 □ 안에 알맞은 수를 써넣으세요.

(1)
```
   ①
  1 7 8
+ 2 1 2
-------
  3 9 0
```
(2)
```
   ①
  3 1 6
+ 4 5 9
-------
  7 7 5
```

✤ 일의 자리끼리의 합이 10이거나 10보다 크면 10을 십의 자리로 받아올림합니다.

2-2 계산해 보세요.

(1) 376 + 517 = **893**   (2) 464 + 218 = **682**

✤ (1)
```
    1
  3 7 6
+ 5 1 7
-------
  8 9 3
```
(2)
```
    1
  4 6 4
+ 2 1 8
-------
  6 8 2
```

GO! 매쓰 Run - A 정답

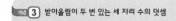

1단계 교과서 개념 잡기

개념 3 받아올림이 두 번 있는 세 자리 수의 덧셈
· 368+579의 계산

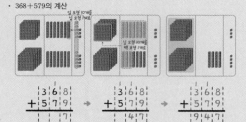

$$368 + 579$$

일의 자리에서 받아올림이 있으면 십의 자리에 받아올리고, 십의 자리에서 받아올림이 있으면 백의 자리에 받아올려 계산합니다.

개념 4 받아올림이 세 번 있는 세 자리 수의 덧셈
· 558+479의 계산

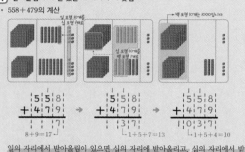

$$558 + 479$$

일의 자리에서 받아올림이 있으면 십의 자리에 받아올리고, 십의 자리에서 받아올림이 있으면 백의 자리에 받아올리고, 백의 자리에서 받아올림이 있으면 천의 자리에 받아올려 계산합니다.

8 · Run - A 3-1

개념 확인 문제

정답과 풀이 p.2

3-1 수 모형을 보고 □ 안에 알맞은 수를 써넣으세요.

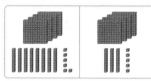

$$486 + 435 = \boxed{921}$$

❖ 일 모형 10개는 십 모형 1개로, 십 모형 10개는 백 모형 1개로 바꿉니다.

3-2 계산해 보세요.

(1)
$$\begin{array}{r} 3\ 4\ 6 \\ +\ 2\ 5\ 6 \\ \hline 6\ 0\ 2 \end{array}$$

(2)
$$\begin{array}{r} 6\ 7\ 9 \\ +\ 1\ 3\ 5 \\ \hline 8\ 1\ 4 \end{array}$$

4-1 □ 안에 알맞은 수를 써넣으세요.

(1)
$$\begin{array}{r} 7\ 5\ 6 \\ +\ 4\ 8\ 7 \\ \hline \boxed{1}\ \boxed{2}\ \boxed{4}\ \boxed{3} \end{array}$$

(2)
$$\begin{array}{r} 3\ 9\ 5 \\ +\ 8\ 2\ 8 \\ \hline \boxed{1}\ \boxed{2}\ \boxed{2}\ \boxed{3} \end{array}$$

4-2 빈 곳에 두 수의 합을 써넣으세요.

(1) 452 | 879 → **1331**

(2) 753 | 397 → **1150**

❖ (1)
$$\begin{array}{r} 4\ 5\ 2 \\ +\ 8\ 7\ 9 \\ \hline 1\ 3\ 3\ 1 \end{array}$$
(2)
$$\begin{array}{r} 7\ 5\ 3 \\ +\ 3\ 9\ 7 \\ \hline 1\ 1\ 5\ 0 \end{array}$$

1. 덧셈과 뺄셈 · 9

1단계 교과서 개념 잡기

개념 5 받아내림이 없는 세 자리 수의 뺄셈
· 587-253의 계산

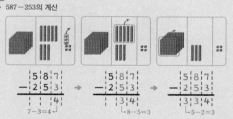

$$587 - 253$$

각 자리의 숫자를 맞추어 적고 일의 자리끼리, 십의 자리끼리, 백의 자리끼리 뺀 값을 차례대로 씁니다.

개념 6 받아내림이 한 번 있는 세 자리 수의 뺄셈
· 492-135의 계산

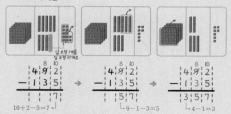

$$492 - 135$$

일의 자리부터 십의 자리, 백의 자리까지 차례대로 계산하고, 일의 자리 수끼리 뺄 수 없으면 십의 자리에서 10을 받아내려 계산합니다.

10 · Run - A 3-1

개념 확인 문제

정답과 풀이 p.2

5-1 □ 안에 알맞은 수를 써넣으세요.

(1)
$$\begin{array}{r} 4\ 8\ 6 \\ -\ 1\ 5\ 4 \\ \hline \boxed{3}\ \boxed{3}\ \boxed{2} \end{array}$$

(2)
$$\begin{array}{r} 7\ 5\ 9 \\ -\ 4\ 3\ 6 \\ \hline \boxed{3}\ \boxed{2}\ \boxed{3} \end{array}$$

❖ 일의 자리, 십의 자리, 백의 자리 순서로 계산합니다.

5-2 계산해 보세요.

(1) 854-323=**531**

(2) 679-275=**404**

❖ (1)
$$\begin{array}{r} 8\ 5\ 4 \\ -\ 3\ 2\ 3 \\ \hline 5\ 3\ 1 \end{array}$$
(2)
$$\begin{array}{r} 6\ 7\ 9 \\ -\ 2\ 7\ 5 \\ \hline 4\ 0\ 4 \end{array}$$

6-1 수 모형을 보고 □ 안에 알맞은 수를 써넣으세요.

$$342 - 126 = \boxed{216}$$

❖ 일 모형 2개에서 일 모형 6개를 뺄 수 없으므로 십 모형 1개를 일 모형 10개로 바꿉니다.

6-2 □ 안에 알맞은 수를 써넣으세요.

(1)
$$\begin{array}{r} 5\ 4\ 7 \\ -\ 2\ 1\ 9 \\ \hline \boxed{3}\ \boxed{2}\ \boxed{8} \end{array}$$

(2)
$$\begin{array}{r} 8\ 7\ 4 \\ -\ 3\ 5\ 8 \\ \hline \boxed{5}\ \boxed{1}\ \boxed{6} \end{array}$$

❖ 일의 자리끼리 계산할 수 없으므로 십의 자리에서 받아내림합니다.

6-3 계산해 보세요.

(1)
$$\begin{array}{r} 7\ 3\ 3 \\ -\ 5\ 1\ 8 \\ \hline 2\ 1\ 5 \end{array}$$

(2)
$$\begin{array}{r} 6\ 8\ 2 \\ -\ 4\ 6\ 7 \\ \hline 2\ 1\ 5 \end{array}$$

1. 덧셈과 뺄셈 · 11

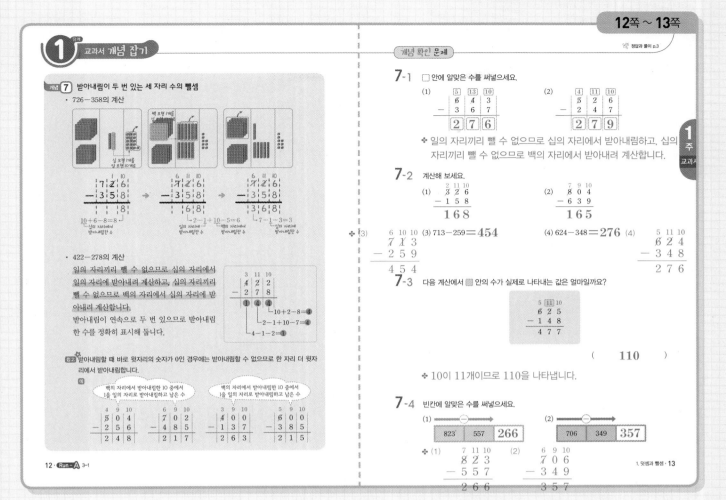

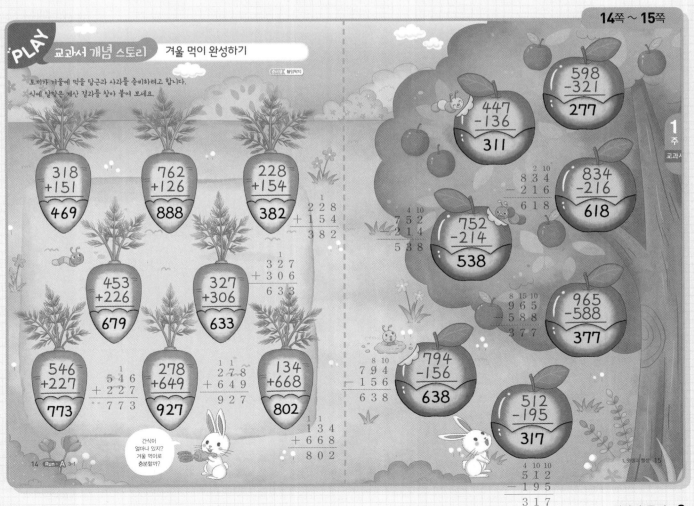

PLAY 교과서 개념 스토리 고양이와 강아지에게 먹이 주기

계산 결과가 써 있는 먹이 붙임딱지를 찾아 그릇에 붙여 주세요.

1주 교과서

$$
\begin{array}{r}
1\ 1 \\
3\ 9\ 8 \\
+\ 1\ 8\ 6 \\
\hline
5\ 8\ 4
\end{array}
$$

398+186 584

$$
\begin{array}{r}
7\ 10\ 10 \\
8\ 1\ 2 \\
-\ 2\ 3\ 3 \\
\hline
5\ 7\ 9
\end{array}
$$

812-233 579

$$
\begin{array}{r}
6\ 9\ 10 \\
7\ 0\ 0 \\
-\ 1\ 8\ 3 \\
\hline
5\ 1\ 7
\end{array}
$$

700-183 517

169+644 813

$$
\begin{array}{r}
1\ 1 \\
1\ 6\ 9 \\
+\ 6\ 4\ 4 \\
\hline
8\ 1\ 3
\end{array}
$$

$$
\begin{array}{r}
6\ 9\ 10 \\
6\ 9\ 3 \\
-\ 1\ 8\ 6 \\
\hline
5\ 0\ 7
\end{array}
$$

693-186 507

$$
\begin{array}{r}
1 \\
2\ 2\ 7 \\
+\ 2\ 5\ 7 \\
\hline
4\ 8\ 4
\end{array}
$$

227+257 484

$$
\begin{array}{r}
8\ 12\ 10 \\
9\ 3\ 3 \\
-\ 2\ 5\ 4 \\
\hline
6\ 7\ 9
\end{array}
$$

933-254 679

776-187 589

$$
\begin{array}{r}
6\ 16\ 10 \\
7\ 7\ 6 \\
-\ 1\ 8\ 7 \\
\hline
5\ 8\ 9
\end{array}
$$

$$
\begin{array}{r}
1\ 1 \\
4\ 8\ 2 \\
+\ 3\ 6\ 9 \\
\hline
8\ 5\ 1
\end{array}
$$

482+369 851

$$
\begin{array}{r}
1\ 1 \\
8\ 7\ 5 \\
+\ 5\ 4\ 6 \\
\hline
1\ 4\ 2\ 1
\end{array}
$$

875+546 1421

$$
\begin{array}{r}
1 \\
4\ 3\ 9 \\
+\ 4\ 3\ 7 \\
\hline
8\ 7\ 6
\end{array}
$$

439+437 876

875+459 1334

$$
\begin{array}{r}
1\ 1 \\
8\ 7\ 5 \\
+\ 4\ 5\ 9 \\
\hline
1\ 3\ 3\ 4
\end{array}
$$

$$
\begin{array}{r}
8\ 12\ 10 \\
9\ 2\ 4 \\
-\ 3\ 0\ 7 \\
\hline
6\ 1\ 7
\end{array}
$$

924-307 617

987-298 689

$$
\begin{array}{r}
8\ 17\ 10 \\
9\ 8\ 7 \\
-\ 2\ 9\ 8 \\
\hline
6\ 8\ 9
\end{array}
$$

16 · Run - Ⓐ 3-1

1. 덧셈과 뺄셈 · 17

---

② 단계 교과서 개념 다지기

정답과 풀이 p.4

개념 1 받아올림이 없는 덧셈

01 계산해 보세요.

(1) $\begin{array}{r} 5\ 3\ 1 \\ +\ 4\ 2\ 8 \\ \hline 9\ 5\ 9 \end{array}$
(2) $\begin{array}{r} 3\ 5\ 4 \\ +\ 2\ 2\ 5 \\ \hline 5\ 7\ 9 \end{array}$

(3) $247+500=$ **747**

(4) $136+423=$ **559**

✤ 일의 자리끼리, 십의 자리끼리, 백의 자리끼리 더합니다.

02 빈칸에 알맞은 수를 써넣으세요.

(1) 150 | +236 | **386**

(2) 478 | +321 | **799**

✤ (1) $150+236=386$
(2) $478+321=799$

03 두 수의 합을 구해 보세요.

325   340

(**665**)

✤ $325+340=665$

04 두 끈의 길이의 합은 몇 cm인지 구해 보세요.

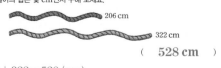

206 cm
322 cm

(**528 cm**)

✤ $206+322=528$ (cm)

개념 2 받아올림이 한 번 있는 덧셈

✤ (3) $\begin{array}{r} 1 \\ 1\ 3\ 5 \\ +\ 6\ 2\ 5 \\ \hline 7\ 6\ 0 \end{array}$

05 계산해 보세요.

(1) $\begin{array}{r} 1 \\ 2\ 5\ 6 \\ +\ 1\ 1\ 7 \\ \hline 3\ 7\ 3 \end{array}$
(2) $\begin{array}{r} 1 \\ 4\ 0\ 8 \\ +\ 3\ 4\ 9 \\ \hline 7\ 5\ 7 \end{array}$

(3) $135+625=$ **760**

(4) $343+228=$ **571**

(4) $\begin{array}{r} 1 \\ 3\ 4\ 3 \\ +\ 2\ 2\ 8 \\ \hline 5\ 7\ 1 \end{array}$

06 수 모형이 나타내는 수보다 159 큰 수를 구해 보세요.

(**493**)

✤ 수 모형이 나타내는 수는 334입니다.
➡ $334+159=493$

07 빈칸에 두 수의 합을 써넣으세요.

(1) 132 | 229 | **361**

(2) 647 | 328 | **975**

✤ (1) $132+229=361$
(2) $647+328=975$

08 그림을 보고 ☐ 안에 알맞은 수를 써넣으세요.

895
459   436

✤ $459+436=895$

18 · Run - Ⓐ 3-1

1. 덧셈과 뺄셈 · 19

2 단계 교과서 **개념 다지기**

정답과 풀이 p.5

개념 3 받아올림이 두 번, 세 번 있는 덧셈

09 계산해 보세요.

(1)
```
  1 1
  3 6 8
+ 2 9 5
-------
  6 6 3
```

(2)
```
  1 1
  1 5 7
+ 6 8 7
-------
  8 4 4
```

(3) 445+389=**834**

(4) 783+547=**1330**

❖ (3)
```
  1 1
  4 4 5
+ 3 8 9
-------
  8 3 4
```

(4)
```
  1 1
  7 8 3
+ 5 4 7
-------
1 3 3 0
```

10 두 수의 합을 구해 보세요.

(1) | 476 | 258 |

(**734**)

(2) | 345 | 597 |

(**942**)

❖ (1)
```
  1 1
  4 7 6
+ 2 5 8
-------
  7 3 4
```

(2)
```
  1 1
  3 4 5
+ 5 9 7
-------
  9 4 2
```

11 계산 결과를 찾아 선으로 이어 보세요.

679+556		750
713+199		912
495+255		1235

❖ 679+556=1235, 713+199=912,
495+255=750

12 그림을 보고 □ 안에 알맞은 수를 써넣으세요.

1054

375 / 679

❖ 375+679=1054

개념 4 받아내림이 없는 뺄셈

13 계산해 보세요.

(1)
```
  3 5 4
- 1 2 2
-------
  2 3 2
```

(2)
```
  8 6 7
- 2 4 5
-------
  6 2 2
```

(3) 748-338=**410**

(4) 696-573=**123**

14 ❖ 일의 자리끼리, 십의 자리끼리, 백의 자리끼리 뺍니다.
수 모형이 나타내는 수보다 216 작은 수를 구해 보세요.

❖ 수 모형이 나타내는 수는 659이므로 659보다 (**443**)
216 작은 수는 659-216=443입니다.

15 빈칸에 알맞은 수를 써넣으세요.

(1) 857 —324→ **533**

(2) 558 —315→ **243**

❖ (1) 857-324=533   (2) 558-315=243

16 삼각형 안에 있는 수의 차를 구해 보세요.

243 374 906
284 676 415

(**433**)

❖ 삼각형 안에 있는 수는 243과 676입니다.
따라서 삼각형 안에 있는 수의 차는 676-243=433입니다.

---

2 단계 교과서 **개념 다지기**

정답과 풀이 p.5

개념 5 받아내림이 한 번 있는 뺄셈

17 계산해 보세요.

(1)
```
  6 10
  4 7 2
- 1 3 5
-------
  3 3 7
```

(2)
```
    5 10
  8 6 0
- 5 4 8
-------
  3 1 2
```

(3) 357-129=**228**

(4) 684-236=**448**

❖ (3)
```
    4 10
  3 5 7
- 1 2 9
-------
  2 2 8
```

(4)
```
    7 10
  6 8 4
- 2 3 6
-------
  4 4 8
```

18 잘못 계산한 곳을 찾아 바르게 계산해 보세요.

```
  4 5 2
- 1 3 9
-------
  3 2 3
```
➡
```
  4 5 2
- 1 3 9
-------
  3 1 3
```

❖ 십의 자리에서 받아내림한 수를 빼지 않았습니다.

```
    4 10
  4 5 2
- 1 3 9
-------
  3 1 3
```

19 그림을 보고 □ 안에 알맞은 수를 써넣으세요.

950
426 / **524**

❖ □=950-426=524

20 빈칸에 알맞은 수를 써넣으세요.

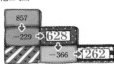

857 —229→ **628** —366→ **262**

❖ 857-229=628, 628-366=262

개념 6 받아내림이 두 번 있는 뺄셈

21 계산해 보세요.

(1)
```
  5 13 10
  6 4 3
- 4 5 7
-------
  1 8 6
```

(2)
```
  2 11 10
  3 2 0
- 1 8 5
-------
  1 3 5
```

(3) 562-294=**268**

(4) 700-358=**342**

❖ (3)
```
  4 15 10
  5 6 2
- 2 9 4
-------
  2 6 8
```

(4)
```
  6 9 10
  7 0 0
- 3 5 8
-------
  3 4 2
```

22 두 수의 차를 구해 보세요.

| 825 | | 477 |

(**348**)

❖ 825-477=348

23 계산 결과를 찾아 선으로 이어 보세요.

457-169		267
816-548		288
500-233		268

❖ 457-169=288, 816-548=268,
500-233=267

24 계산 결과를 비교하여 ○ 안에 >, =, <를 알맞게 써넣으세요.

| 934-375 | = | 851-292 |

❖ 934-375=559, 851-292=559

③ 단계 교과서 실력 다지기

⭐ 정답과 풀이 p.6

★ 덧셈의 활용

1 햇빛 꽃집에 장미 734송이, 튤립 128송이가 있습니다. 장미와 튤립은 모두 몇 송이인지 식을 쓰고 답을 구해 보세요.

식 $734+128=862$

답 862송이

개념 피드백 • 세 자리 수의 덧셈 방법
① 일의 자리 수끼리, 십의 자리 수끼리, 백의 자리 수끼리 더합니다.
② 같은 자리 수끼리의 합이 10이거나 10보다 크면 바로 윗자리로 받아올림합니다.

✿ (전체 꽃 수)=(장미 수)+(튤립 수)
　　　　　　=$734+128=862$(송이)

1-1 종서는 윗몸 말아 올리기를 어제는 318번 하였고, 오늘은 483번 하였습니다. 종서가 이틀 동안 윗몸 말아 올리기를 모두 몇 번 했는지 식을 쓰고 답을 구해 보세요.

식 $318+483=801$

답 801번

✿ (윗몸 말아 올리기 전체 횟수)=(어제 한 횟수)+(오늘 한 횟수)
　　　　　　　　　　　　　=$318+483=801$(번)

1-2 미소는 집에서 문구점을 거쳐서 학교까지 걸어갔습니다. 미소가 걸은 거리는 몇 m인지 구해 보세요.

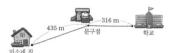

435 m　316 m
미소네 집　문구점　학교

(751 m)

✿ (미소가 걸은 거리)=(집 ~ 문구점)+(문구점 ~ 학교)
　　　　　　　　=$435+316=751$(m)

★ 뺄셈의 활용

2 서진이는 주말 농장에서 딸기를 506개 땄습니다. 그중에서 349개를 먹었다면 남은 딸기는 몇 개인지 식을 쓰고 답을 구해 보세요.

식 $506-349=157$

답 157개

개념 피드백 • 세 자리 수의 뺄셈 방법
① 일의 자리 수끼리, 십의 자리 수끼리, 백의 자리 수끼리 뺍니다.
② 같은 자리 수끼리 뺄 수 없으면 바로 윗자리에서 받아내림합니다.

✿ (남은 딸기 수)=(딴 딸기 수)-(먹은 딸기 수)
　　　　　　=$506-349=157$(개)

2-1 기차에 915명이 타고 있었습니다. 다음 역에서 427명이 내렸다면 기차에 남은 사람은 몇 명인지 식을 쓰고 답을 구해 보세요.

식 $915-427=488$

답 488명

✿ (남은 사람 수)=(기차에 타고 있던 사람 수)-(내린 사람 수)
　　　　　　=$915-427=488$(명)

2-2 길이가 5 m인 색 테이프 중에서 선물을 포장하는 데 326 cm를 사용했습니다. 남은 색 테이프는 몇 cm인지 구해 보세요.

✿ $5\text{ m}=500\text{ cm}$　　　(174 cm)
➡ (남은 색 테이프의 길이)
　=(처음 색 테이프의 길이)-(사용한 색 테이프의 길이)
　=$500-326=174$(cm)

---

③ 단계 교과서 실력 다지기

⭐ 정답과 풀이 p.6

★ 나타내는 수를 구하여 계산하기

3 다음 수보다 496 큰 수는 얼마인지 구해 보세요.

100이 3개, 10이 2개, 1이 7개인 수

답 823

개념 피드백 ① 100이 ■개, 10이 ▲개, 1이 ●개인 수는 ■▲●입니다.
② (어떤 수)보다 ★만큼 큰 수 ➡ (어떤 수)+★

✿ 100이 3개, 10이 2개, 1이 7개인 수는 327입니다.
　➡ $327+496=823$

3-1 다음 수보다 284 큰 수는 얼마인지 구해 보세요.

100이 5개, 10이 3개, 1이 6개인 수

(820)

✿ 100이 5개, 10이 3개, 1이 6개인 수는 536입니다.
　➡ $536+284=820$

3-2 ㉠과 ㉡의 합은 얼마인지 구해 보세요.

㉠ 100이 5개, 10이 13개, 1이 4개인 수
㉡ 100이 3개, 10이 6개, 1이 17개인 수

(1011)

✿ ㉠=$500+130+4=634$,
　㉡=$300+60+17=377$이므로
　㉠과 ㉡의 합은 $634+377=1011$입니다.

★ □ 안에 알맞은 수 구하기

4 □ 안에 알맞은 수를 써넣으세요.

(1)
```
  5  3 ⑥
+ 3  3 ⓒ5
  8 ⓒ  1
```

(2)
```
  7 ⑧ 2
- 2 ⓒ 4 ⑥ ㉠
  5  3  6
```

개념 피드백 ① 같은 자리 수끼리의 합이 10이거나 10보다 크면 바로 윗자리로 받아올림합니다.
② 같은 자리 수끼리 뺄 수 없으면 바로 윗자리에서 받아내림합니다.

✿ (1) • 일의 자리: ㉠+5=11 ➡ ㉠=6
　　• 십의 자리: 1+3+ⓒ=7 ➡ ⓒ=3
　　• 백의 자리: 5+3=ⓒ ➡ ⓒ=8

(2) • 일의 자리: 10+2-㉠=6 ➡ ㉠=6
　• 십의 자리: ⓒ-1-4=3 ➡ ⓒ=8
　• 백의 자리: 7-ⓒ=5 ➡ ⓒ=2

4-1 □ 안에 알맞은 수를 써넣으세요.

(1)
```
  2 ②8
+ ③4  4
  5  7 ②
```

(2)
```
  ④7  6
+ 3 ⑦4
  8  5  0
```

✿ (1) • 일의 자리: 8+4=12 ➡ □=2
　　• 십의 자리: 1+□+4=7 ➡ □=2
　　• 백의 자리: 2+□=5 ➡ □=3

(2) • 일의 자리: 6+□=10 ➡ □=4
　• 십의 자리: 1+7+□=15 ➡ □=7
　• 백의 자리: 1+□+3=8 ➡ □=4

4-2 □ 안에 알맞은 수를 써넣으세요.

(1)
```
  7 ⑥ 4
- ④3 ⑨
  3  2  5
```

(2)
```
  ⑨5  3
- 6 ⑧7
  2  6 ⑥
```

✿ (1) • 일의 자리: 10+4-□=5 ➡ □=9
　　• 십의 자리: □-1-3=2 ➡ □=6
　　• 백의 자리: 7-□=3 ➡ □=4

(2) • 일의 자리: 10+3-7=□ ➡ □=6
　• 십의 자리: 5-1+10-□=6 ➡ □=8
　• 백의 자리: □-1-6=2 ➡ □=9

③단계 교과서 실력 다지기

정답과 풀이 p.7

★ 바르게 계산한 결과 구하기

5 어떤 수에 126을 더해야 할 것을 잘못하여 빼었더니 692가 되었습니다. 바르게 계산하면 얼마인지 구해 보세요.

답 **944**

개념 피드백 ・바르게 계산한 결과를 구하는 순서
① 잘못 계산한 식을 세웁니다.
② 잘못 계산한 식에서 어떤 수를 구합니다.
③ 어떤 수를 이용하여 바르게 계산합니다.

❖ 어떤 수를 □라 하면 잘못 계산한 식은 □−126=692입니다.
  ➡ □=692+126, □=818
  따라서 바르게 계산하면 818+126=944입니다.

5-1 어떤 수에 165를 더해야 할 것을 잘못하여 빼었더니 427이 되었습니다. 바르게 계산하면 얼마인지 구해 보세요.

(**757**)

❖ 어떤 수를 □라 하면 잘못 계산한 식은 □−165=427입니다.
  ➡ □=427+165, □=592
  따라서 바르게 계산하면 592+165=757입니다.

5-2 어떤 수에서 185를 빼야 할 것을 잘못하여 더했더니 519가 되었습니다. 바르게 계산하면 얼마인지 구해 보세요.

(**149**)

❖ 어떤 수를 □라 하면 잘못 계산한 식은 □+185=519입니다.
  ➡ □=519−185, □=334
  따라서 바르게 계산하면 334−185=149입니다.

★ □ 안에 알맞은 수 구하기

6 □ 안에 들어갈 수 있는 세 자리 수 중에서 가장 큰 수를 구해 보세요.

□+564 < 725

답 **160**

개념 피드백 >, <가 들어 있는 식은 >, <를 =로 놓고 □ 안에 알맞은 수를 구한 뒤 처음 식을 생각하며 조건에 알맞은 답을 구합니다.

❖ □+564=725라고 하면 □=725−564, □=161입니다.
  □+564의 값이 725보다 작으려면 □ 안에는 161보다 작은 수가 들어가야 합니다.
  따라서 □ 안에 들어갈 수 있는 가장 큰 세 자리 수는 160입니다.

6-1 □ 안에 들어갈 수 있는 세 자리 수 중에서 가장 큰 수를 구해 보세요.

419+□ < 836

(**416**)

❖ 419+□=836이라고 하면 □=836−419, □=417입니다.
  419+□의 값이 836보다 작으려면 □ 안에는 417보다 작은 수가 들어가야 합니다.
  따라서 □ 안에 들어갈 수 있는 가장 큰 세 자리 수는 416입니다.

6-2 □ 안에 들어갈 수 있는 세 자리 수 중에서 가장 작은 수를 구해 보세요.

397+□ > 885

(**489**)

❖ 397+□=885라고 하면 □=885−397, □=488입니다.
  397+□의 값이 885보다 크려면 □ 안에는 488보다 큰 수가 들어가야 합니다.
  따라서 □ 안에 들어갈 수 있는 가장 작은 세 자리 수는 489입니다.

Test 교과서 서술형 연습

정답과 풀이 p.7

1 사랑 마을과 햇빛 마을에 살고 있는 사람 수를 나타낸 표입니다. 사랑 마을과 햇빛 마을 중 어느 마을에 살고 있는 사람이 몇 명 더 많은지 구해 보세요.

	사랑 마을	햇빛 마을
남자	417명	436명
여자	562명	338명

✏ 구하려는 것, 주어진 것에 선을 그어 봅니다.

해결하기 사랑 마을에 살고 있는 사람 수는 417+562= **979** 명이고,
햇빛 마을에 살고 있는 사람 수는 436+338= **774** 명입니다.
따라서 **사랑** 마을에 살고 있는 사람이
979 − **774** = **205** 명 더 많습니다.

답 구하기 **사랑 마을** , **205명**

2 ㉮ 상자와 ㉯ 상자에 들어 있는 구슬 수를 나타낸 표입니다. ㉮ 상자와 ㉯ 상자 중 어느 상자에 들어 있는 구슬이 몇 개 더 많은지 구해 보세요.

주어진 것

구하려는 것

	㉮ 상자	㉯ 상자
빨간색 구슬	457개	156개
노란색 구슬	368개	425개

✏ 구하려는 것, 주어진 것에 선을 그어 봅니다.

해결하기 예) ㉮ 상자에 들어 있는 구슬 수는 457+368=825(개)이고,
㉯ 상자에 들어 있는 구슬 수는 156+425=581(개)입니다.
따라서 ㉮ 상자에 들어 있는 구슬이 825−581=244(개) 더 많습니다.

답 구하기 **㉮ 상자** , **244개**

3 예림이네 학교의 남학생은 564명이고, 여학생은 남학생보다 128명 더 적습니다. 예림이네 학교의 학생은 모두 몇 명인지 구해 보세요.

✏ 구하려는 것, 주어진 것에 선을 그어 봅니다.

해결하기 (여학생 수)=(남학생 수)− **128**
= **564** − **128** = **436** (명)
(전체 학생 수)=(남학생 수)+(여학생 수)
= **564** + **436** = **1000** (명)

답 구하기 **1000명**

4 영호네 학교의 여학생은 628명이고, 남학생은 여학생보다 157명 더 많습니다. 영호네 학교의 학생은 모두 몇 명인지 구해 보세요.

주어진 것

구하려는 것

✏ 구하려는 것, 주어진 것에 선을 그어 봅니다.

해결하기 예) (남학생 수)=(여학생 수)+157
=628+157=785(명)
(전체 학생 수)=(여학생 수)+(남학생 수)
=628+785=1413(명)

답 구하기 **1413명**

PLAY 사고력 개념 스토리 | 두더지를 잡아라

두더지가 농작물을 자꾸만 망치고 있습니다.
화살표 부분에 알맞은 망치 붙임딱지를 붙여서 두더지를 잡아 보세요.

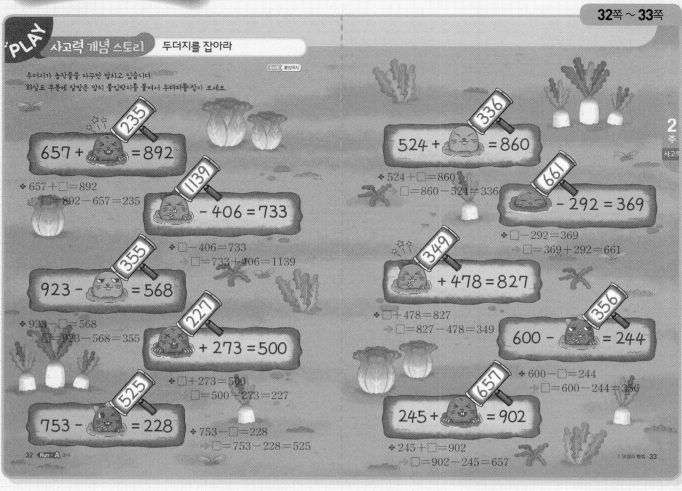

657 + **235** = 892

❖ 657 + □ = 892
  □ = 892 − 657 = 235

1139 − 406 = 733

923 − **355** = 568

❖ 923 − □ = 568
  □ = 923 − 568 = 355

227 + 273 = 500

❖ □ − 406 = 733
  → □ = 733 + 406 = 1139

753 − **525** = 228

❖ □ + 273 = 500
  □ = 500 − 273 = 227

❖ 753 − □ = 228
  → □ = 753 − 228 = 525

524 + **336** = 860

❖ 524 + □ = 860
  □ = 860 − 524 = 336

661 − 292 = 369

❖ □ − 292 = 369
  → □ = 369 + 292 = 661

349 + 478 = 827

❖ □ + 478 = 827
  → □ = 827 − 478 = 349

600 − **356** = 244

❖ 600 − □ = 244
  → □ = 600 − 244 = 356

245 + **657** = 902

❖ 245 + □ = 902
  □ = 902 − 245 = 657

PLAY 사고력 개념 스토리 | 도토리와 호두를 모아 집 찾아가기

다람쥐가 집에 가져갈 수 있는 도토리와 호두를 모았습니다. 다람쥐가 모은 도토리와 호두를 보고
규칙을 찾아 집에 가져갈 수 있도록 알맞은 호두 붙임딱지를 붙여 보세요.

도토리와 호두를 모은 다람쥐가 집을 찾아가려고 합니다. 다람쥐의 집은 303호입니다.
선을 그어 가면서 다람쥐의 집을 찾아 '303호' 붙임딱지를 붙여 보세요.

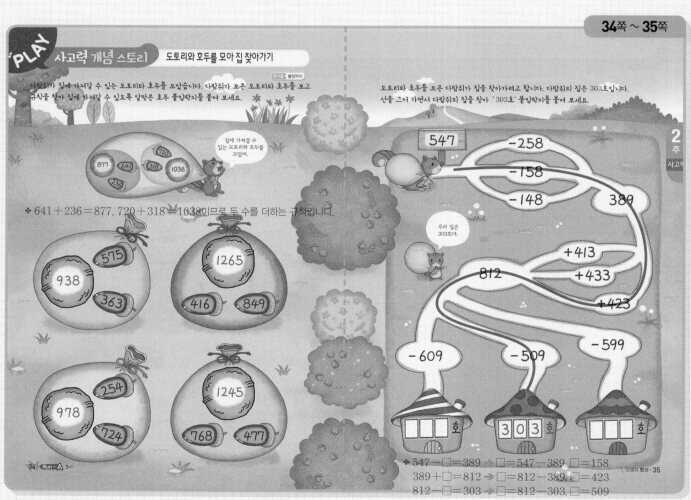

❖ 641 + 236 = 877, 720 + 318 = 1038이므로 두 수를 더하는 규칙입니다.

❖ 547 − □ = 389 → □ = 547 − 389, □ = 158
  389 + □ = 812 → □ = 812 − 389, □ = 423
  812 − □ = 303 → □ = 812 − 303, □ = 509

1 단계 교과 사고력 잡기

정답과 풀이 p.9

1 정수는 보물섬에서 보물 상자를 발견했습니다. 보물 상자를 열기 위해서는 상자 주위에 있는 6개의 수 중 3개를 한 번씩만 사용하여 만들 수 있는 가장 큰 세 자리 수와 가장 작은 세 자리 수의 합을 구해야 합니다. 보물 상자를 열 수 있는 비밀번호를 구해 보세요.

❶ 만들 수 있는 가장 큰 세 자리 수를 써 보세요.

(**975**)

✤ 9>7>5>2>1>0이므로 만들 수 있는 가장 큰 세 자리 수는 975입니다.

❷ 만들 수 있는 가장 작은 세 자리 수를 써 보세요.

(**102**)

✤ 0<1<2<5<7<9이고 백의 자리에는 0을 놓을 수 없으므로 만들 수 있는 가장 작은 세 자리 수는 102입니다.

❸ 보물 상자를 열 수 있는 비밀번호를 구해 보세요.

(**1077**)

✤ 975+102=1077

36 · Run = A 3-1

2 삼각형, 사각형, 원 모양 조각으로 재미있는 모양을 만들고 있습니다. 아래와 같이 모양을 만들었을 때 사용하지 않은 모양 조각에 적힌 수의 차를 구해 보세요.

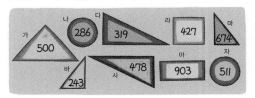

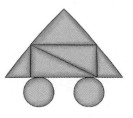

❶ 위 모양을 만들었을 때 사용하지 않은 모양 조각을 모두 찾아 기호를 써 보세요.

(**라, 아**)

➜ 사용하지 않은 모양 조각은 라, 아입니다.

❷ ❶에서 찾은 모양 조각에 적힌 수의 차를 구해 보세요.

(**476**)

✤ 903-427=476

1. 덧셈과 뺄셈 · 37

1 단계 교과 사고력 잡기

정답과 풀이 p.9

3 가은이네 가족과 준수네 가족은 산에서 밤을 주웠습니다. 누구네 가족이 밤을 더 많이 주웠는지 알아보세요.

❶ 가은이네 가족이 주운 밤은 모두 몇 개일까요?

(**732개**)

✤ 305+154+273=459+273=732(개)

❷ 준수네 가족이 주운 밤은 모두 몇 개일까요?

(**726개**)

✤ 286+147+293=433+293=726(개)

❸ 누구네 가족이 밤을 더 많이 주웠는지 써 보세요.

(**가은이네 가족**)

✤ 732>726이므로 가은이네 가족이 밤을 더 많이 주웠습니다.

38 · Run = A 3-1

4 주머니에 세 자리 수가 적힌 구슬이 4개 들어 있습니다. 주머니에서 공 2개를 꺼냈을 때 꺼낸 공에 적힌 두 수의 차가 200에 가장 가까운 뺄셈식을 만들려고 합니다. 공에 적힌 수로 뺄셈식을 만들어 보세요.

❶ 각 수를 몇백몇십으로 어림해 보세요.

918	452	709	246
↓	↓	↓	↓
920	예 450	예 710	예 250

❷ 어림한 수를 보고 차가 200에 가까운 두 수를 짝 지어 보세요.

(918 . **709**)   (452 . **246**)

✤ 920-710=210이므로 918과의 차가 200에 가까운 수는 709입니다.
450-250=200이므로 452와의 차가 200에 가까운 수는 246입니다.

❸ 공에 적힌 두 수의 차가 200에 가장 가까운 뺄셈식을 완성해 보세요.

452 - **246** = **206**

✤ 918-709=209, 452-246=206이고 209>206이므로 차가 200에 가장 가까운 뺄셈식은 452-246=206입니다.

1. 덧셈과 뺄셈 · 39

정답과 풀이 · **9**

② 단계 교과 사고력 확장

1 같은 수만큼씩 뛰어서 세었습니다. 마지막 꽃과 연잎에 알맞은 수를 써넣으세요.

❶

❖ 254−132=122, 376−254=122, 498−376=122,
620−498=122이므로 122씩 커지고 있습니다.
파란 나비가 앉은 곳은 620+122=742, 노란 나비가 앉은 곳은
742+122=864이므로 마지막 꽃에 알맞은 수는 864+122=986입
니다.

❷
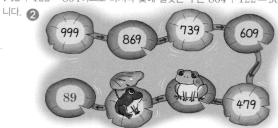

❖ 999−869=130, 869−739=130, 739−609=130,
609−479=130이므로 130씩 작아지고 있습니다.
연두색 개구리가 앉은 곳은 479−130=349, 초록색 개구리가 앉은 곳은
349−130=219이므로 마지막 연잎에 알맞은 수는 219−130=89입니다.

40 · Run−Ⓐ 3−1

2 트럭, 승용차, 승합차가 각각의 주차 공간에 주차하려고 합니다. 주차 공간에 써 있는 식의 계산 결과가 그곳에 주차할 차에 써 있는 두 수의 합과 같도록 빈칸에 알맞은 수를 써넣으세요.

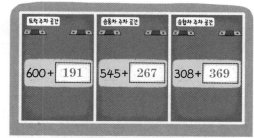

트럭 주차 공간	승용차 주차 공간	승합차 주차 공간
600+ 191	545+ 267	308+ 369

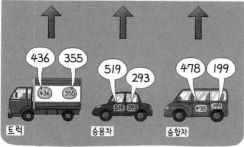

❖ 436+355=791
➔ 600+□=791,
□=791−600,
□=191

❖ 519+293=812
➔ 545+□=812,
□=812−545,
□=267

❖ 478+199=677
➔ 308+□=677,
□=677−308,
□=369

1. 덧셈과 뺄셈 · 41

② 단계 교과 사고력 확장

3 파란색과 빨간색 요술 상자에 공 2개를 넣으면 각 상자의 규칙에 따라 새로운 공이 나옵니다. 각 상자에 다음과 같이 공을 넣었을 때 어떤 수가 적힌 공이 나올까요? 나오는 공에 알맞은 수를 써넣으세요.

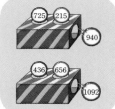

❖ 파란색 요술 상자: 725+215=940,
436+656=1092이므로
넣은 두 수의 합이 나옵니다.

❖ 빨간색 요술 상자: 637−218=419,
975−479=496이므로
넣은 두 수의 차가 나옵니다.

❶

❖ 364+298=662

❷
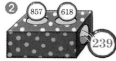
❖ 857−618=239

❸

❖ 564+883=1447

❹

❖ 751−555=196

42 · Run−Ⓐ 3−1

4 세 종류의 쿠키 카드가 있습니다. 각각의 쿠키 카드가 나타내는 수를 알아보고 빈 카드에 알맞은 수를 써넣으세요.

❖ 🍪+🍪=8에서 4+4=8이므로 🍪=4입니다.

4+🍪=11에서 🍪=11−4, 🍪=7입니다.
47−🍪=39에서 🍪=47−39, 🍪=8입니다.

❶
🍪	2	9
+ 2	🍪	9
7	0	🍪

❖
	4	2	□
+		2	□	9
	□	□	8

일의 자리 계산: □+9=18, □=9
십의 자리 계산: 1+2+7=10, □=0
백의 자리 계산: 1+4+2=7, □=7

❷
6	2	3
− 🍪		4	🍪
1	🍪	5

❖
		□	3
−	4	4	8
	1	7	□

일의 자리 계산: 10+3−8=5, □=5
십의 자리 계산: □−1+10−4=7, □=2
백의 자리 계산: □−1−4=1, □=6

1. 덧셈과 뺄셈 · 43

3 단계 교과 사고력 완성

정답과 풀이 p.11

평가 영역 ☑개념 이해력 □개념 응용력 □창의력 □문제 해결력

1 주어진 수 카드 6장을 한 번씩 모두 사용하여 (세 자리 수)＋(세 자리 수)와 (세 자리 수)－(세 자리 수)를 만들려고 합니다. 각각 계산 결과가 가장 큰 식을 만들고 계산해 보세요.

① 예 $\begin{array}{r} 9\ 5\ 2 \\ +\ 7\ 4\ 1 \\ \hline 1\ 6\ 9\ 3 \end{array}$ ② $\begin{array}{r} 9\ 7\ 5 \\ -\ 1\ 2\ 4 \\ \hline 8\ 5\ 1 \end{array}$

❖ 합이 가장 큰 (세 자리 수)＋(세 자리 수) 를 만들 때에는 백의 자리에 큰 수 2개를 놓고, 십의 자리에 그 다음으로 큰 수 2개 를 놓고, 일의 자리에 나머지 수를 놓습니 다. 2개의 세 자리 수에서 각 자리 숫자끼 리는 바뀌어도 됩니다.

❖ 차가 가장 큰 (세 자리 수)－(세 자리 수) 를 만들 때에는 가장 큰 세 자리 수에서 가 장 작은 세 자리 수를 뺍니다.

평가 영역 □개념 이해력 ☑개념 응용력 □창의력 □문제 해결력

2 주어진 수 카드 5장을 한 번씩 모두 사용하여 식을 완성해 보세요.

$\begin{array}{r} ⑤\ 5\ ⑥ \\ +\ ⑦\ ⑧\ 6 \\ \hline 7\ ⑩\ 4 \end{array}$

[2] [3] [4] [7] [8]

$\begin{array}{r} 2\ 5\ 8 \\ +\ 4\ 7\ 6 \\ \hline 7\ 3\ 4 \end{array}$ 또는 $\begin{array}{r} 4\ 5\ 8 \\ +\ 2\ 7\ 6 \\ \hline 7\ 3\ 4 \end{array}$

• 일의 자리 계산: ⑥＋6＝14 ➡ ⑥＝8

• 십의 자리 계산: 1＋5＋⑧＝⑩, 6＋⑧＝⑩ ➡ 2, 3, 4, 7 중에서 차가 6인 두 수는 없으므로 받아올림이 있음을 알 수 있습니다. 6＋7＝13이므로 ⑧＝7, ⑩＝3입니다.

• 백의 자리 계산: 1＋⑤＋⑦＝7, ⑤＋⑦＝6 ➡ ⑤＝2, ⑦＝4 또는 ⑤＝4, ⑦＝2

따라서 식을 완성해 보면 258＋476＝734 또는 458＋276＝734입니다.

44 · Run - Ⓐ 3-1

평가 영역 □개념 이해력 □개념 응용력 ☑창의력 □문제 해결력

3 다음은 같은 값을 나타내는 로마 숫자와 아라비아 숫자입니다.

로마 숫자	I	V	X	L	C	D	M
아라비아 숫자	1	5	10	50	100	500	1000

로마 숫자는 다음과 같은 규칙 에 따라 만듭니다.

규칙

① 큰 수 앞에 작은 수가 오면 뒤에 있는 큰 수에서 앞에 있는 작은 수를 빼 줍니다.
  예 IV＝V－I＝5－1＝4, IX＝X－I＝10－1＝9,
     XL＝L－X＝50－10＝40
② 큰 수 뒤에 작은 수가 오면 앞에 있는 큰 수에 뒤에 있는 작은 수를 더해 줍니다.
  예 VII＝V＋I＋I＝5＋1＋1＝7, XI＝X＋I＝10＋1＝11,
     CL＝C＋L＝100＋50＝150
③ 로마 숫자에서는 I, X, C, M은 3번까지 연속해서 쓸 수 있고 V, L, D는 1번만 쓸 수 있습니다.
  예 III＝1＋1＋1＝3, XX＝10＋10＝20,
     CC＝100＋100＝200, MMM＝1000＋1000＋1000＝3000

① 로마 숫자로 나타낸 두 수의 합을 구하여 로마 숫자로 나타내어 보세요.

CCLXVIII **CDXIV**

(**DCLXXXII**)

❖ CCLXVIII ➡ 268
  CDXIV ➡ 414
  268＋414＝682이므로 682를 로마 숫자로 나타내어 봅니다.
  ➡ DCLXXXII

② 로마 숫자로 나타낸 두 수의 차를 구하여 로마 숫자로 나타내어 보세요.

DCXLII **CCCXXIX**

(**CCCXIII**)

❖ DCXLII ➡ 642
  CCCXXIX ➡ 329
  642－329＝313이므로 313을 로마 숫자로 나타내어 봅니다.
  ➡ CCCXIII

1. 덧셈과 뺄셈 · 45

Test 종합평가   1. 덧셈과 뺄셈

맞은 개수

정답과 풀이 p.11

1 계산해 보세요.

(1) $\begin{array}{r} {\scriptstyle 1\ 1} \\ 8\ 2\ 6 \\ +\ 1\ 8\ 4 \\ \hline 1\ 0\ 1\ 0 \end{array}$

(2) $\begin{array}{r} {\scriptstyle 5\ 9\ 10} \\ 6\ 0\ 3 \\ -\ 1\ 2\ 9 \\ \hline 4\ 7\ 4 \end{array}$

❖ (3) $\begin{array}{r} {\scriptstyle 1} \\ 3\ 5\ 7 \\ +\ 2\ 0\ 7 \\ \hline 5\ 6\ 4 \end{array}$

(3) 357＋207＝564

(4) 911－788＝123

(4) $\begin{array}{r} {\scriptstyle 8\ 10\ 10} \\ 9\ 1\ 1 \\ -\ 7\ 8\ 8 \\ \hline 1\ 2\ 3 \end{array}$

2 보기 와 같은 방법으로 계산해 보세요.

보기
328＋165＝(300＋100)＋(20＋60)＋(8＋5)
    ＝400＋80＋13
    ＝493

634＋283＝(600＋200)＋(30＋80)＋(4＋3)
    ＝800＋110＋7
    ＝917

❖ 백의 자리끼리, 십의 자리끼리, 일의 자리끼리 계산하는 방법 입니다.

3 빈칸에 알맞은 수를 써넣으세요.

	＋		
－	523	337	860
	325	208	533
	198	129	

❖ 523＋337＝860, 325＋208＝533
  523－325＝198, 337－208＝129

46 · Run - Ⓐ 3-1

---

4 짝 지은 두 수의 차를 아래의 빈칸에 써넣으세요.

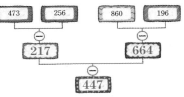

```
[473] [256]      [860] [196]
   ⊖               ⊖
  [217]           [664]
        ⊖
      [447]
```

❖ 473－256＝217, 860－196＝664,
  664－217＝447

5 비행기에 타야 할 승객은 남자가 184명, 여자가 207명입니다. 비행기에 타야 할 승객은 모두 몇 명인지 식을 쓰고 답을 구해 보세요.

식 **184＋207＝391**

답 **391명**

❖ (비행기에 타야 할 승객 수)＝(남자 승객 수)＋(여자 승객 수)
    ＝184＋207＝391(명)

6 윤명이네 학교 도서관에 책이 940권 있습니다. 그중에서 262권을 빌려갔다면 도서관에 남은 책은 몇 권인지 식을 쓰고 답을 구해 보세요.

식 **940－262＝678**

답 **678권**

❖ (도서관에 남은 책 수)＝(처음에 있던 책 수)－(빌려간 책 수)
    ＝940－262＝678(권)

1. 덧셈과 뺄셈 · 47

Test 종합평가 1. 덧셈과 뺄셈

정답과 풀이 p.12

7 사각형 안에 있는 수의 합을 구해 보세요.

369 107 573
297 845 721

(**870**)

✿ 사각형 안에 있는 수는 573과 297입니다.
➡ 573+297=870

8 주어진 수 카드 3장을 한 번씩 모두 사용하여 세 자리 수를 만들려고 합니다. 만들 수 있는 가장 큰 수와 가장 작은 수의 차를 구해 보세요.

6 0 4

(**234**)

✿ 만들 수 있는 가장 큰 세 자리 수: 640
만들 수 있는 가장 작은 세 자리 수: 406
➡ 640-406=234

9 □ 안에 알맞은 수를 써넣으세요.

(1)
```
   3 4 7
 + 2 8 3
 ─────────
   6 3 0
```

(2)
```
   6 6 4
 - 3 2 8
 ─────────
   3 3 6
```

✿ (1) 일의 자리 계산: 7+□=10, □=3
• 십의 자리 계산: 1+□+8=13, □+9=13, □=4
• 백의 자리 계산: 1+3+2=□, □=6
(2) • 일의 자리 계산: 10+4-8=□, □=6
• 십의 자리 계산: 6-1-□=3, 5-□=3, □=2
• 백의 자리 계산: □-3=3, □=6

10 길이가 388 cm인 색 테이프 2장을 그림과 같이 이어 붙였습니다. 이어 붙인 색 테이프의 전체 길이는 몇 cm인지 구해 보세요.

388 cm 388 cm
195 cm

(**581 cm**)

✿ (색 테이프 2장의 길이)=388+388=776 (cm)
(이어 붙인 색 테이프의 전체 길이)
=(색 테이프 2장의 길이)-(이어 붙인 부분의 길이)
=776-195=581 (cm)

11 토요일과 일요일에 박물관에 입장한 관람객 수입니다. 토요일과 일요일 중 무슨 요일에 관람객이 몇 명 더 왔는지 차례로 써 보세요.

관람객 수

	어른	어린이
토요일	348명	257명
일요일	298명	287명

(**토요일**), (**20명**)

✿ 토요일: 348+257=605(명)
일요일: 298+287=585(명)
따라서 토요일에 관람객이 605-585=20(명) 더 많이 왔습니다.

12 다음 중 두 수를 골라 고른 두 수의 차가 가장 큰 식을 만들어 계산해 보세요.

692 837 529 564

837-529=308

✿ 두 수의 차가 가장 크려면 가장 큰 수에서 가장 작은 수를 빼어야 합니다.
837>692>564>529이므로 가장 큰 수는 837이고 가장 작은 수는 529입니다.
➡ 837-529=308

Test 종합평가 1. 덧셈과 뺄셈

정답과 풀이 p.12

13 어떤 수에 376을 더해야 할 것을 잘못하여 뺐더니 285가 되었습니다. 바르게 계산하면 얼마인지 구해 보세요.

(**1037**)

✿ 어떤 수를 □라 하면 □-376=285, 285+376=□,
□=661입니다.
따라서 바르게 계산하면 661+376=1037입니다.

14 0부터 9까지의 수 중에서 □ 안에 들어갈 수 있는 수를 모두 써 보세요.

(1)
34□+811>1157

(**7, 8, 9**)

✿ 34□+811=1157이라고 하면
1157-811=34□, □=6입니다.
34□+811의 값이 1157보다 크려면 □ 안에는 6보다 큰 수가 들어가야 합니다.
따라서 □ 안에 들어갈 수 있는 수는 7, 8, 9입니다.

(2)
635-2□8<357

(**8, 9**)

✿ 635-2□8=357이라고 하면 635-357=2□8, □=7입니다.
635-2□8의 값이 357보다 작으려면 □ 안에는 7보다 큰 수가 들어가야 합니다.
따라서 □ 안에 들어갈 수 있는 수는 8, 9입니다.

15 주어진 수 카드 5장을 한 번씩 모두 사용하여 식을 완성해 보세요.

2 3 4 7 8

8 6 3 - 4 2 7 = 4 3 6
또는 8 6 3 - 4 3 7 = 4 2 6

✿ ⑦63 - 4ⓒⓒ = ㉣ⓒ6
• 일의 자리 계산: 3-ⓒ=6을 만족하는 ⓒ은 없으므로 13-ⓒ=6입니다. ➡ ⓒ=7
• 십의 자리 계산: 6-1-ⓒ=ⓒ, 5-ⓒ=ⓒ, ⓒ+ⓒ=5
• 2, 3, 4, 8 중에서 합이 5인 두 수는 2와 3이므로 ⓒ=2, ㉣=3 또는 ⓒ=3, ㉣=2입니다.
• 백의 자리 계산: ⑦-4=㉣ ➡ ⑦=8, ㉣=4
따라서 식을 완성해 보면 863-427=436 또는 863-437=426입니다.

특강 창의·융합 사고력

정답과 풀이 p.12

① 다음과 같이 A 코스, B 코스, C 코스 3개의 집라인 코스가 있습니다. 가장 긴 코스와 가장 짧은 코스의 길이의 차는 몇 m인지 알아보세요.

(1) B 코스의 길이는 몇 m일까요?

(**874 m**)

✿ 326+548=874 (m)

(2) C 코스의 길이는 몇 m일까요?

(**832 m**)

✿ 697+135=832 (m)

(3) 가장 긴 코스와 가장 짧은 코스의 길이의 차는 몇 m인지 구해 보세요.

(**75 m**)

✿ 907>874>832
가장 긴 코스는 A 코스로 907 m이고, 가장 짧은 코스는 C 코스로 832 m입니다.
➡ 907-832=75 (m)

2 평면도형

두 점을 이어 보아요

우리 주위에서 볼 수 있는 선들은 셀 수 없이 많은 점들이 모여서 만들어지는 것입니다. 그 모양은 굽은 선과 곧은 선으로 나눌 수 있답니다.

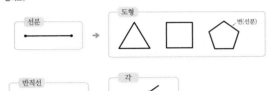

굽은 선과 곧은 선 중 어느 선이 더 짧아 보이나요? 물론 곧은 선입니다. 곧은 선은 두 점을 곧게 이은 선으로 주위에서 많이 볼 수 있습니다. 그럼 곧은 선에는 어떤 종류가 있고, 어떻게 활용되는지 알아볼까요?

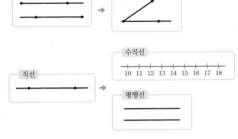

할머니 댁에 가려면 어느 길로 가야 더 적게 걸을 수 있는지 찾아 ○표 하세요.

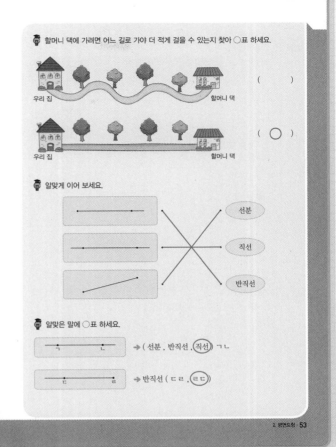

알맞게 이어 보세요.

알맞은 말에 ○표 하세요.

→ (선분 , 반직선 , (직선)) ㄱㄴ

→ 반직선 (ㄷㄹ , (ㄹㄷ))

---

1 단계 교과서 개념 잡기

개념 확인 문제

정답과 풀이 p.13

개념 1 선분, 반직선, 직선 알아보기

- **선분**: 두 점을 곧게 이은 선

선분 ㄱㄴ 또는 선분 ㄴㄱ → 점 ㄱ과 점 ㄴ을 이은 선분

ㄱ ———————— ㄴ

★ 선분의 양쪽에는 끝점이 있습니다.

주의 선분 ㄱㄴ과 선분 ㄴㄱ은 서로 같은 도형입니다.

- **반직선**: 한 점에서 시작하여 한쪽으로 끝없이 늘인 곧은 선

반직선 ㄱㄴ → 점 ㄱ에서 시작하여 점 ㄴ을 지나는 반직선

반직선 ㄴㄱ → 점 ㄴ에서 시작하여 점 ㄱ을 지나는 반직선

ㄱ ———————— ㄴ

★ 반직선은 한쪽에만 끝점이 있습니다.

주의 반직선 ㄱㄴ과 반직선 ㄴㄱ은 끝없이 늘인 방향이 다르므로 같다고 할 수 없습니다.

- **직선**: 선분을 양쪽으로 끝없이 늘인 곧은 선

직선 ㄱㄴ 또는 직선 ㄴㄱ → 점 ㄱ과 점 ㄴ을 지나는 직선

ㄱ ———————— ㄴ

★ 직선은 양쪽 끝이 정해지지 않은 선입니다.

주의 직선 ㄱㄴ과 직선 ㄴㄱ은 서로 같은 도형입니다.

1-1 선분을 찾아 ○표 하세요.

( ) ( ) (○)

✤ 선분: 두 점을 곧게 이은 선

1-2 반직선을 찾아 ○표 하세요.

( ) (○) ( )

✤ 반직선: 한 점에서 시작하여 한쪽으로 끝없이 늘인 곧은 선

1-3 직선을 찾아 ○표 하세요.

선분

(○) ( ) ( )

✤ 직선: 선분을 양쪽으로 끝없이 늘인 곧은 선

1-4 도형의 이름을 써 보세요.

ㄱ ——— ㄴ	ㄷ ——— ㄹ	ㅁ ——— ㅂ
직선 ㄱㄴ	선분 ㄷㄹ	반직선 ㅂㅁ
또는 직선 ㄴㄱ	또는 선분 ㄹㄷ	

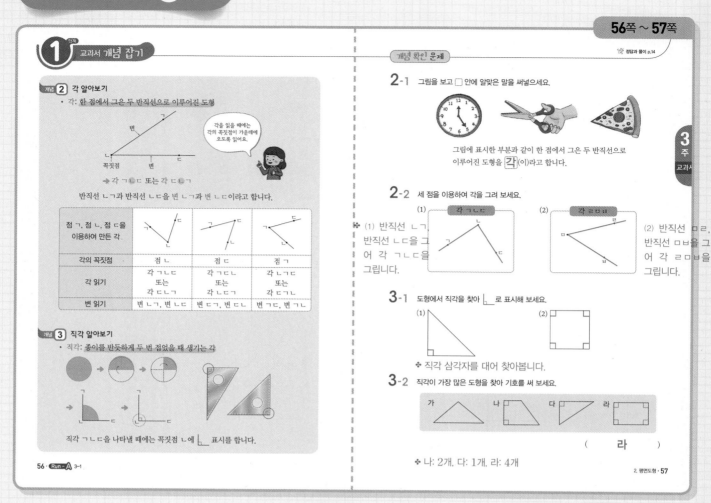

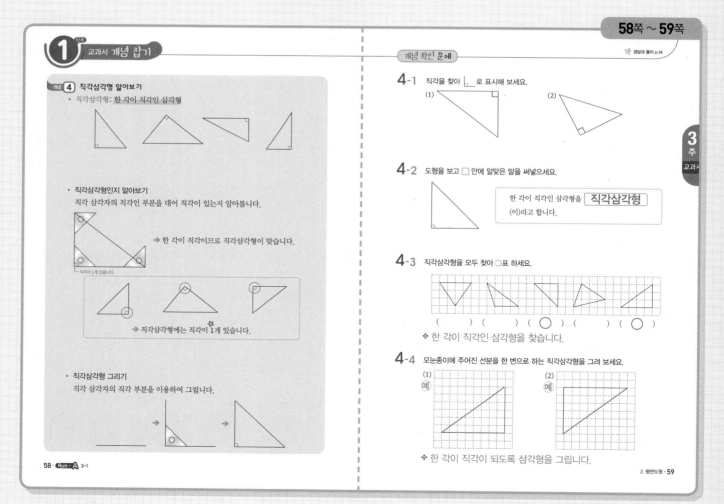

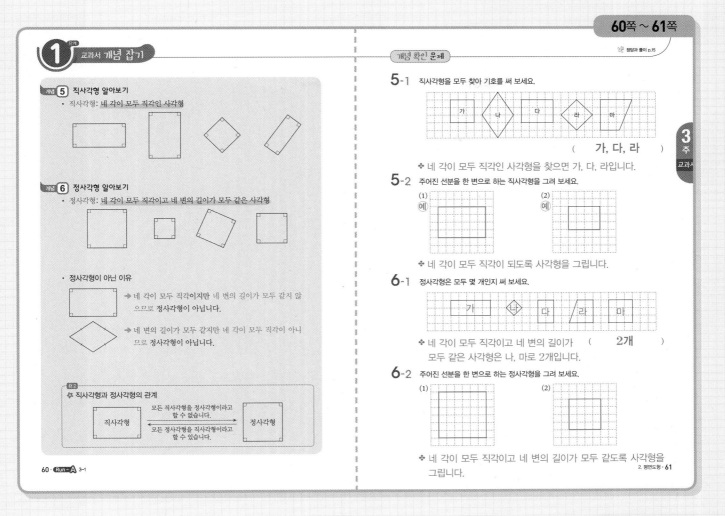

1 단계 교과서 개념 잡기

개념 **5** 직사각형 알아보기
• 직사각형: 네 각이 모두 직각인 사각형

개념 **6** 정사각형 알아보기
• 정사각형: 네 각이 모두 직각이고 네 변의 길이가 모두 같은 사각형

• 정사각형이 아닌 이유
➡ 네 각이 모두 직각이지만 네 변의 길이가 모두 같지 않으므로 정사각형이 아닙니다.
➡ 네 변의 길이가 모두 같지만 네 각이 모두 직각이 아니므로 정사각형이 아닙니다.

참고
❖ 직사각형과 정사각형의 관계
직사각형 | 모든 직사각형을 정사각형이라고 할 수 없습니다. | 정사각형
모든 정사각형을 직사각형이라고 할 수 있습니다.

개념 확인 문제

정답과 풀이 p.15

5-1 직사각형을 모두 찾아 기호를 써 보세요.
가 나 다 라 마
(가, 다, 라)
❖ 네 각이 모두 직각인 사각형을 찾으면 가, 다, 라입니다.

5-2 주어진 선분을 한 변으로 하는 직사각형을 그려 보세요.
(1) 예 (2) 예
❖ 네 각이 모두 직각이 되도록 사각형을 그립니다.

6-1 정사각형은 모두 몇 개인지 써 보세요.
가 나 다 라 마
(2개)
❖ 네 각이 모두 직각이고 네 변의 길이가 모두 같은 사각형은 나, 마로 2개입니다.

6-2 주어진 선분을 한 변으로 하는 정사각형을 그려 보세요.
(1) (2)
❖ 네 각이 모두 직각이고 네 변의 길이가 모두 같도록 사각형을 그립니다.

PLAY 교과서 개념 스토리 **마법 상자 열기**

붙임딱지

마법 상자를 열었을 때 나오는 도형을 붙임딱지에서 찾아 붙여 보세요.

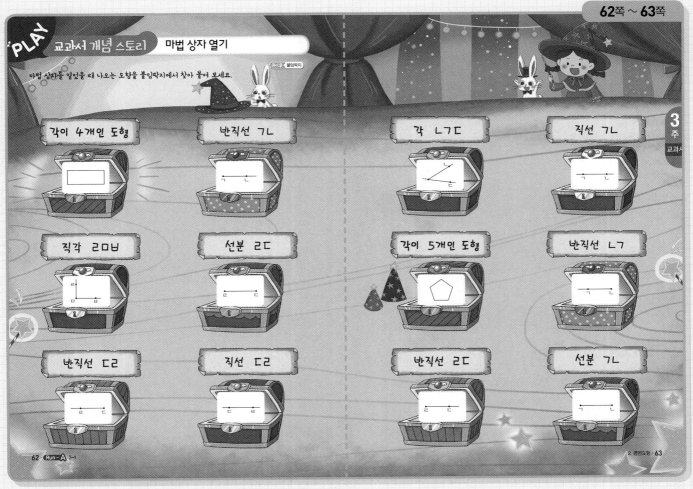

각이 4개인 도형
반직선 ㄱㄴ
각 ㄴㄱㄷ
직선 ㄱㄴ

직각 ㄹㅁㅂ
선분 ㄹㄷ
각이 5개인 도형
반직선 ㄴㄱ

반직선 ㄷㄹ
직선 ㄷㄹ
반직선 ㄹㄷ
선분 ㄱㄴ

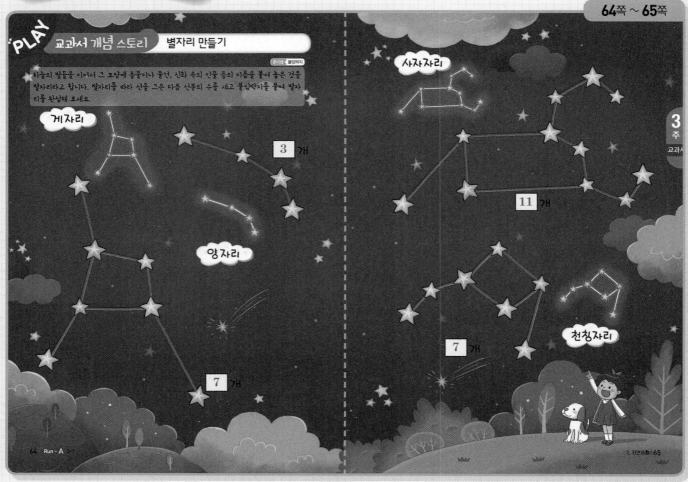

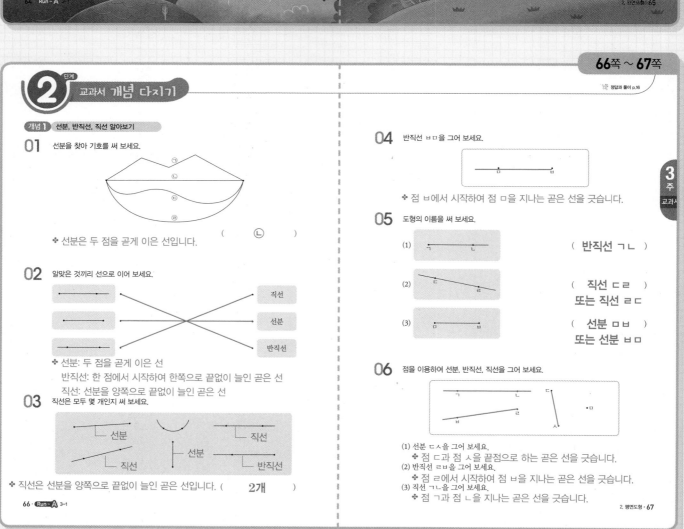

②단계 교과서 개념 다지기

개념2 각 알아보기

07 각을 찾아 ○표 하세요.

✤ 각: 한 점에서 그은 두 반직선으로 이루어진 도형

08 각 ㅇㅅㅈ을 완성해 보세요.

✤ 반직선 ㅅㅇ을 그어 각 ㅇㅅㅈ을 완성합니다.

09 도형에서 찾을 수 있는 각은 모두 몇 개인지 써 보세요.

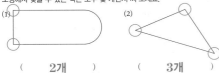

(1) (2개) (2) (3개)

개념3 직각 알아보기

10 직각 삼각자를 바르게 이용하여 직각을 그린 것에 ○표 하세요.

( ) ( ) (○)

✤ 직각 삼각자의 직각인 부분을 따라 그려야 합니다.

11 도형에서 직각을 찾아 직각이 몇 개인지 각각 써 보세요.

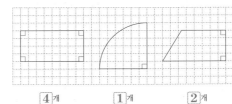

4개 1개 2개

✤ 직각 삼각자의 직각인 부분을 대어 직각을 찾아봅니다.

12 시계에서 직각을 찾아 ㄴ로 나타내고 시각을 읽어 보세요.

 → 9시

✤ 긴바늘과 짧은바늘이 이루는 각이 직각입니다. ➡ 9시

68 · Run-A 3-1

2. 평면도형 · 69

②단계 교과서 개념 다지기

개념4 직각삼각형 알아보기

13 도형판에 만든 삼각형의 이름을 써 보세요.

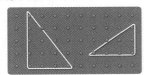

(직각삼각형)

✤ 한 각이 직각인 삼각형이므로 직각삼각형입니다.

14 직각삼각형을 모두 찾아 기호를 써 보세요.

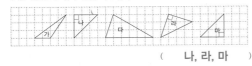

(나, 라, 마)

✤ 한 각이 직각인 삼각형을 찾으면 나, 라, 마입니다.

15 직각 삼각자를 이용하여 주어진 선분으로 직각삼각형을 그려 보세요.

(1) 예   (2) 예

✤ 주어진 선분을 한 변으로 하고 한 각이 직각인 삼각형을 그립니다.

개념5 직사각형과 정사각형 알아보기

16 그림을 보고 물음에 답하세요.

(1) 직사각형을 모두 찾아 기호를 써 보세요.

(가, 나, 라)

(2) 정사각형을 모두 찾아 기호를 써 보세요.

(나, 라)

✤ 직사각형은 네 각이 모두 직각인 사각형입니다.
정사각형은 네 각이 모두 직각이고 네 변의 길이가 모두 같은 사각형입니다.

17 정사각형입니다. □ 안에 알맞은 수를 써넣으세요.

(1) 12 cm / 12 cm (2) 6 cm / 6 cm

✤ 정사각형은 네 변의 길이가 모두 같습니다.

18 다음 도형의 이름이 될 수 있는 것을 모두 찾아 기호를 써 보세요.

㉠ 사각형 ㉡ 직각삼각형
㉢ 직사각형 ㉣ 정사각형

(㉠, ㉢, ㉣)

✤ 네 각이 모두 직각이고 네 변의 길이가 모두 같은 사각형이므로 사각형, 직사각형, 정사각형이라고 할 수 있습니다.

70 · Run-A 3-1

2. 평면도형 · 71

③ 교과서 실력 다지기

정답과 풀이 p.18

★ 도형의 성질 알아보기

1 잘못 설명한 것을 찾아 기호를 써 보세요.

> ㉠ 정사각형은 직각이 4개입니다.
> ㉡ 직각삼각형은 두 각이 직각입니다.
> ㉢ 직사각형은 네 각이 모두 직각입니다.

(㉡)

> **개념 피드백**
> • 직각삼각형은 한 각이 직각인 삼각형입니다.
> • 직사각형은 네 각이 모두 직각인 사각형입니다.
> • 정사각형은 네 각이 모두 직각이고 네 변의 길이가 모두 같은 사각형입니다.

✜ ㉡ 직각삼각형은 한 각이 직각입니다.

1-1 잘못 설명한 것을 모두 찾아 기호를 써 보세요.

> ㉠ 직사각형은 네 각이 모두 직각입니다.
> ㉡ 직사각형은 네 변의 길이가 모두 같습니다.
> ㉢ 정사각형은 직사각형이라고 할 수 있습니다.
> ㉣ 직사각형은 정사각형이라고 할 수 있습니다.

(㉡, ㉣)

✜ ㉡ 직사각형의 네 변의 길이가 항상 같은 것은 아닙니다.
　 ㉣ 직사각형은 정사각형이라고 할 수 없습니다.

1-2 ㉠+㉡+㉢을 구해 보세요.

> • 직각삼각형에는 직각이 ㉠개 있습니다.
> • 한 각에는 꼭짓점이 ㉡개 있습니다.
> • 정사각형에는 길이가 같은 변이 ㉢개 있습니다.

(6)

✜ ㉠=1, ㉡=1, ㉢=4
➡ 1+1+4=6

★ 각의 수 구하기

2 도형에 있는 각은 모두 몇 개인지 써 보세요.

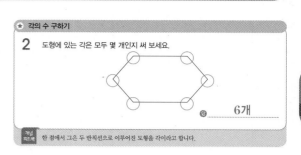

답 6개

> **개념 피드백** 한 점에서 그은 두 반직선으로 이루어진 도형을 각이라고 합니다.

2-1 각의 수가 가장 많은 도형을 찾아 기호를 써 보세요.

(다)

✜ 각이 가: 4개, 나: 3개, 다: 6개, 라: 5개, 마: 0개 있습니다.
　 따라서 6＞5＞4＞3＞0이므로 각이 가장 많은 도형은 다입니다.

2-2 두 도형에 있는 각의 수의 합은 모두 몇 개인지 구해 보세요.

(13개)

✜ 가: 8개, 나: 5개
➡ 8+5=13(개)

72 · Run - A 3-1

2. 평면도형 · 73

③ 교과서 실력 다지기

정답과 풀이 p.18

★ 그림에서 도형 찾기

3 직사각형 모양의 종이를 점선을 따라 잘랐습니다. 이때 만들어지는 직각삼각형은 모두 몇 개인지 써 보세요.

답 6개

> **개념 피드백** 한 각이 직각인 삼각형을 직각삼각형이라고 합니다.

3-1 그림에서 직각삼각형을 모두 찾아 색칠해 보세요.

✜ 한 각이 직각인 삼각형을 모두 찾아 색칠합니다.

3-2 그림에서 직사각형을 모두 찾아 색칠해 보세요.

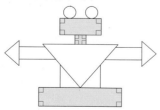

✜ 네 각이 모두 직각인 사각형을 모두 찾아 색칠합니다.

★ 정사각형의 변의 길이 구하기

4 네 변의 길이의 합이 32 cm인 정사각형입니다. □ 안에 알맞은 수를 써넣으세요.

8 cm

> **개념 피드백** 정사각형은 네 변의 길이가 모두 같습니다.

✜ 정사각형은 네 변의 길이가 모두 같으므로 한 변의 길이를
　 □cm라 하면 □+□+□+□=32입니다.
　 따라서 □=8입니다.

4-1 네 변의 길이의 합이 40 cm인 정사각형입니다. □ 안에 알맞은 수를 써넣으세요.

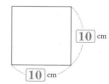

10 cm
10 cm

✜ 정사각형은 네 변의 길이가 모두 같으므로 한 변의 길이를
　 □cm라 하면 □+□+□+□=40입니다.
　 따라서 □=10입니다.

4-2 네 변의 길이의 합이 28 cm인 정사각형이 있습니다. 이 정사각형의 한 변의 길이는 몇 cm인지 구해 보세요.

(7 cm)

✜ 이 정사각형의 한 변의 길이를 □cm라 하면
　 □+□+□+□=28입니다.
　 따라서 □=7입니다.

74 · Run - A 3-1

2. 평면도형 · 75

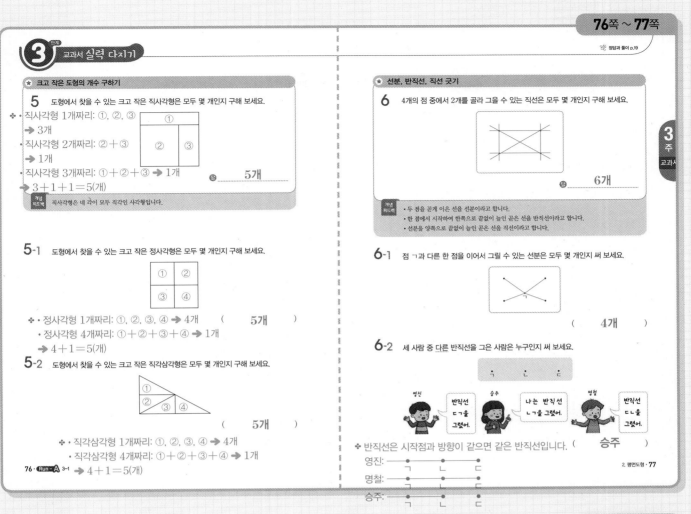

★ 크고 작은 도형의 개수 구하기

5 도형에서 찾을 수 있는 크고 작은 직사각형은 모두 몇 개인지 구해 보세요.

❖ · 직사각형 1개짜리: ①, ②, ③
➡ 3개
· 직사각형 2개짜리: ②+③
➡ 1개
· 직사각형 3개짜리: ①+②+③ ➡ 1개
➡ 3+1+1=5(개)

답 **5개**

개념 피드백 직사각형은 네 각이 모두 직각인 사각형입니다.

5-1 도형에서 찾을 수 있는 크고 작은 정사각형은 모두 몇 개인지 구해 보세요.

❖ · 정사각형 1개짜리: ①, ②, ③, ④ ➡ 4개 (**5개**)
· 정사각형 4개짜리: ①+②+③+④ ➡ 1개
➡ 4+1=5(개)

5-2 도형에서 찾을 수 있는 크고 작은 직각삼각형은 모두 몇 개인지 구해 보세요.

(**5개**)

❖ · 직각삼각형 1개짜리: ①, ②, ③, ④ ➡ 4개
· 직각삼각형 4개짜리: ①+②+③+④ ➡ 1개
➡ 4+1=5(개)

★ 선분, 반직선, 직선 긋기

6 4개의 점 중에서 2개를 골라 그을 수 있는 직선은 모두 몇 개인지 구해 보세요.

답 **6개**

개념 피드백
· 두 점을 곧게 이은 선을 선분이라고 합니다.
· 한 점에서 시작하여 한쪽으로 끝없이 늘인 곧은 선을 반직선이라고 합니다.
· 선분을 양쪽으로 끝없이 늘인 곧은 선을 직선이라고 합니다.

6-1 점 ㄱ과 다른 한 점을 이어서 그릴 수 있는 선분은 모두 몇 개인지 써 보세요.

(**4개**)

6-2 세 사람 중 다른 반직선을 그은 사람은 누구인지 써 보세요.

영진 반직선 ㄷㄱ을 그렸어.
승수 나는 반직선 ㄴㄱ을 그렸어.
명철 반직선 ㄷ ㄴ을 그렸어.

(**승주**)

❖ 반직선은 시작점과 방향이 같으면 같은 반직선입니다.
영진: ㄱ ㄴ ㄷ
명철: ㄱ ㄴ ㄷ
승주: ㄱ ㄴ ㄷ

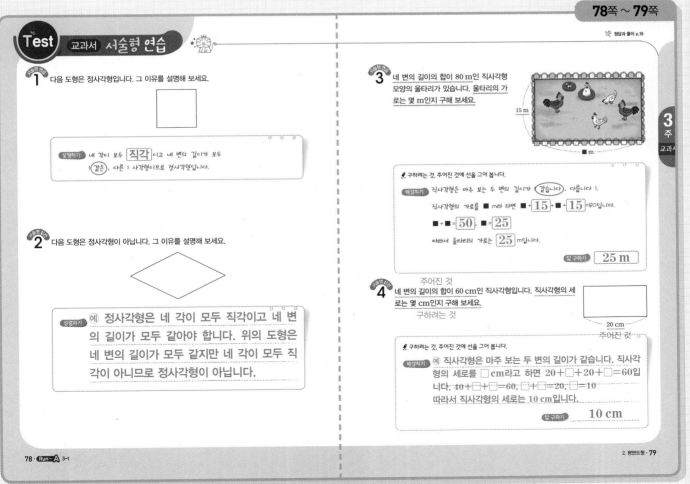

Test 교과서 **서술형 연습**

정답과 풀이 p.19

1 다음 도형은 정사각형입니다. 그 이유를 설명해 보세요.

설명하기 네 각이 모두 **직각** 이고 네 변의 길이가 모두 (**같으**) 므로 (다른) 사각형이므로 정사각형입니다.

2 다음 도형은 정사각형이 아닙니다. 그 이유를 설명해 보세요.

설명하기 **예** 정사각형은 네 각이 모두 직각이고 네 변의 길이가 모두 같아야 합니다. 위의 도형은 네 변의 길이가 모두 같지만 네 각이 모두 직각이 아니므로 정사각형이 아닙니다.

3 네 변의 길이의 합이 80 m인 직사각형 모양의 울타리가 있습니다. 울타리의 가로는 몇 m인지 구해 보세요.

15 m

■ m

구하려는 것, 주어진 것에 선을 그어 봅니다.

해결하기 직사각형은 마주 보는 두 변의 길이가 (같습니다 , 다릅니다).

직사각형의 가로를 ■ m라 하면 ■+ 15 +■+ 15 =80입니다.

■+■= 50 , ■= 25

따라서 울타리의 가로는 25 m입니다.

답 구하기 **25 m**

4 네 변의 길이의 합이 60 cm인 직사각형입니다. 직사각형의 세로는 몇 cm인지 구해 보세요.

주어진 것
구하려는 것

20 cm

구하려는 것, 주어진 것에 선을 그어 봅니다.

해결하기 **예** 직사각형은 마주 보는 두 변의 길이가 같습니다. 직사각형의 세로를 □ cm라고 하면 20+□+20+□=60입니다. 40+□+□=60, □+□=20, □=10

따라서 직사각형의 세로는 10 cm입니다.

답 구하기 **10 cm**

PLAY 사고력 개념 스토리 유령 피하기

1 함께 게임을 함께 할 짝꿍을 정합니다. (개인전도 가능합니다.)
2 직사각형 모양 조각을 이용하여 주어진 도형을 겹치지 않게 덮습니다.
  (유령이 있는 곳에는 모양 조각을 놓지 못합니다.)
3 사용한 모양 조각이 가장 적은 사람이 이깁니다.

PLAY 사고력 개념 스토리 그림 속의 도형의 수

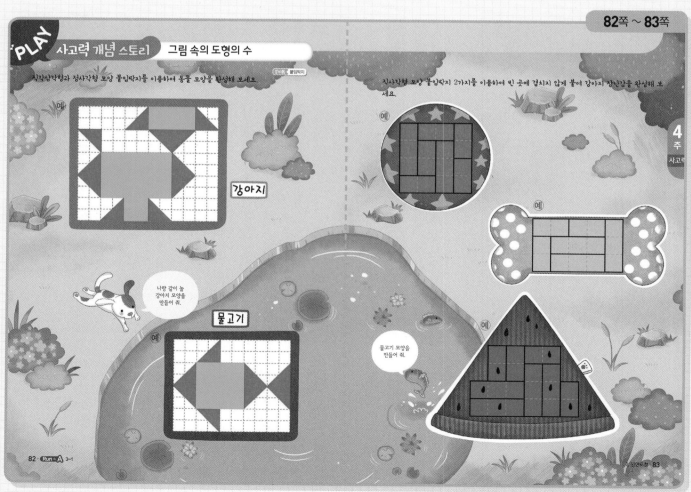

강아지

물고기

1단계 교과 사고력 잡기

정답과 풀이 p.21

1 서우와 동진이는 상자에서 도형을 하나씩 뽑았습니다. 서우와 동진이의 대화를 보고 뽑은 도형이 어떤 도형인지 알아보세요.

서우: 내가 뽑은 도형은 4개의 변과 4개의 꼭짓점이 있어. 그리고 각이 모두 직각이야.

동진: 정말? 나도 그런데~. 그리고 내 도형은 네 변의 길이도 모두 같아.

❶ 서우가 뽑은 도형은 무엇일까요?

(**직사각형**)

✤ 4개의 변과 4개의 꼭짓점이 있는 도형은 사각형입니다. 각이 모두 직각인 사각형은 직사각형입니다.

❷ 동진이가 뽑은 도형은 무엇일까요?

(**정사각형**)

✤ 각이 모두 직각이고 네 변의 길이가 모두 같은 사각형은 정사각형입니다.

84 · Run-A 3-1

2 거미가 거미줄을 만들고 있는 중입니다. 거미줄은 뱃속에 있는 액체가 몸 밖으로 나오는 순간, 공기에 닿으면서 굳어 실이 됩니다. 거미줄의 여러 가지 실 중 가로실은 점성이 강합니다. 지금까지 거미가 만든 거미줄 모양에서 찾을 수 있는 직각은 모두 몇 개인지 알아보세요.

❶ 거미줄 모양에서 직각을 모두 찾아 ⌐ 로 표시해 보세요.

✤ 직각 삼각자의 직각 부분을 대었을 때 꼭 맞게 겹쳐지는 각을 찾아 직각 표시를 합니다.

❷ 거미줄 모양에서 찾을 수 있는 직각은 모두 몇 개일까요?

(**4개**)

2. 평면도형 · 85

1단계 교과 사고력 잡기

정답과 풀이 p.21

3 데칼코마니는 일정한 무늬를 종이에 찍어 다른 표면에 옮겨 붙이는 기법을 말합니다. 기연이가 미술 시간에 데칼코마니를 이용해 다양한 무늬를 만들어 냈습니다. 기연이가 데칼코마니 기법으로 그림을 그린 도화지를 보고 도화지의 네 변의 길이의 합은 몇 cm인지 알아보세요.

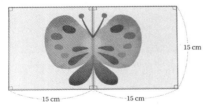

15 cm

15 cm   15 cm

❶ 기연이가 사용한 도화지는 어떤 도형인지 알맞은 말에 ○표 하세요.

((직사각형), 정사각형)

✤ 네 각이 모두 직각인 사각형이므로 직사각형입니다.

❷ 도화지의 세로는 15 cm입니다. 도화지의 가로는 몇 cm일까요?

(**30 cm**)

✤ $15 + 15 = 30$ (cm)

❸ 도화지의 네 변의 길이의 합은 몇 cm일까요?

(**90 cm**)

✤ $30 + 15 + 30 + 15 = 90$ (cm)

86 · Run-A 3-1

4 사방치기는 평평한 땅에 놀이판을 그려 놓고 돌을 던진 후, 그림의 첫 칸부터 마지막 칸까지 다녀오는 놀이입니다. 사방치기 놀이판을 보고 찾을 수 있는 크고 작은 직각삼각형은 모두 몇 개인지 알아보세요.

❶ 직각삼각형 1개로 이루어진 직각삼각형은 몇 개일까요?

(**4개**)

✤ ③, ④, ⑤, ⑥ ➡ 4개

❷ 직각삼각형 2개로 이루어진 직각삼각형은 몇 개일까요?

(**4개**)

✤ ③+④, ③+⑤, ④+⑥, ⑤+⑥ ➡ 4개

❸ 사방치기 놀이판에서 찾을 수 있는 크고 작은 직각삼각형은 모두 몇 개일까요?

(**8개**)

✤ $4 + 4 = 8$(개)

2. 평면도형 · 87

정답과 풀이 · **21**

2 단계 교과 사고력 확장

정답과 풀이 p.22

1 혁진이의 별자리는 양자리이고, 동생의 별자리는 게자리입니다. 혁진이와 동생의 별자리에서 찾을 수 있는 선분은 모두 몇 개인지 알아보세요.

양자리 | 게자리
혁진이의 별자리 | 동생의 별자리

❶ 혁진이의 별자리에서 찾을 수 있는 선분은 몇 개일까요?

(**3개**)

✦ 선분: 두 점을 곧게 이은 선

❷ 동생의 별자리에서 찾을 수 있는 선분은 몇 개일까요?

(**7개**)

❸ 혁진이와 동생의 별자리에서 찾을 수 있는 선분은 모두 몇 개일까요?

(**10개**)

✦ 3+7=10(개)

88 · Run - Ⓐ 3-1

2 진주는 점심으로 엄마, 아빠와 함께 피자를 주문해 먹었습니다. 피자 8조각 중 아빠와 엄마가 각각 2조각씩 먹고, 진주는 1조각을 먹었습니다. 남은 피자에서 찾을 수 있는 크고 작은 각은 모두 몇 개인지 알아보세요.

❶ 각이 1개짜리인 각은 몇 개 있는지 써 보세요.

(**3개**)

✦ 각이 1개짜리인 각: ①, ②, ③ ➜ 3개

❷ 각이 2개짜리인 각은 몇 개 있는지 써 보세요.

(**2개**)

✦ 각이 2개짜리인 각: ①+②, ②+③ ➜ 2개

❸ 각이 3개짜리인 각은 몇 개 있는지 써 보세요.

(**1개**)

✦ 각이 3개짜리인 각: ①+②+③ ➜ 1개

❹ 남은 피자에서 찾을 수 있는 크고 작은 각은 모두 몇 개일까요?

(**6개**)

✦ 3+2+1=6(개)

2. 평면도형 · 89

2 단계 교과 사고력 확장

정답과 풀이 p.22

3 민지와 석호는 보기의 모양 조각을 여러 개 사용하여 아래 모양을 만들었습니다. 사용한 모양 조각의 개수가 더 많은 사람은 누구인지 구해 보세요. (단, 조각을 될 수 있는 대로 적게 사용했습니다.)

보기

민지 | 석호

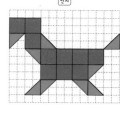
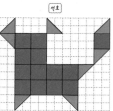

❶ 민지가 사용한 모양 조각은 각각 몇 개인지 구해 보세요.

◣ (**9개**), ■ (**10개**)

❷ 석호가 사용한 모양 조각은 각각 몇 개인지 구해 보세요.

◣ (**8개**), ■ (**13개**)

❸ 사용한 모양 조각의 개수가 더 많은 사람은 누구인지 써 보세요.

✦ 민지: 9+10=19(개)
　석호: 8+13=21(개)

(**석호**)

90 · Run - Ⓐ 3-1　✦ 19<21이므로 석호가 사용한 모양 조각의 개수가 더 많습니다.

4 마법 학교에 입학을 하려면 정해진 시각에 마법의 문을 통과해야 합니다. 여학생과 남학생은 각각 몇 시에 문을 통과해야 하는지 알아보세요.

마법의 문 통과 시각

1 시계의 긴바늘이 12를 가리켜야 합니다.
2 긴바늘과 짧은바늘이 이루는 각이 직각이어야 합니다.
3 시계의 짧은바늘이 여학생은 6보다 작은 수를 가리키고, 남학생은 6보다 큰 수를 가리켜야 합니다.

❶ 여학생은 몇 시에 문을 통과해야 하는지 써 보세요.

(**3시**)

✦ 시계의 긴바늘이 12를 가리키고 시계의 긴바늘과 짧은바늘이 이루는 각이 직각이 되는 경우는 3시와 9시입니다.
그중 시계의 짧은바늘이 6보다 작은 수를 가리키는 경우는 3시입니다.

❷ 남학생은 몇 시에 문을 통과해야 하는지 써 보세요.

(**9시**)

✦ 시계의 긴바늘이 12를 가리키고 시계의 긴바늘과 짧은바늘이 이루는 각이 직각이 되는 경우는 3시와 9시입니다.
그중 시계의 짧은바늘이 6보다 큰 수를 가리키는 경우는 9시입니다.

2. 평면도형 · 91

③ 단계 교과 사고력 완성

평가 영역 ☑개념 이해력 ☐개념 응용력 ☐창의력 ☐문제 해결력

1 색종이를 잘라 직사각형과 직각삼각형을 만들고 있습니다. 색종이를 선을 따라 잘랐을 때 생기는 직사각형과 직각삼각형은 각각 몇 개인지 써 보세요.

직사각형	직각삼각형
1개	4개

③ └── ①, ②, ④, ⑤

평가 영역 ☐개념 이해력 ☑개념 응용력 ☐창의력 ☐문제 해결력

2 펜토미노는 정사각형 5개를 이어 붙여 만든 도형을 말합니다. 다음 펜토미노 조각 중 모양이 다른 하나에서 찾을 수 있는 크고 작은 직사각형은 모두 몇 개인지 구해 보세요.

모양이 다름 (**10개**)

✤ 정사각형 1개짜리: ①, ②, ③, ④, ⑤ ➡ 5개
정사각형 2개짜리: ①+②, ①+③, ③+④, ④+⑤ ➡ 4개
정사각형 3개짜리: ①+③+④ ➡ 1개
$5+4+1=10$(개)

평가 영역 ☐개념 이해력 ☐개념 응용력 ☑창의력 ☐문제 해결력

3 보기 와 같이 2개의 선분을 그어 모양을 만들려고 합니다. 점을 이용하여 선분을 그어 보세요.

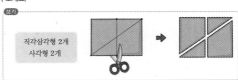

보기
직각삼각형 2개
사각형 2개

직각삼각형 2개
사각형 1개

✤ 점과 점을 곧게 이어 선분 2개를 그어 봅니다.

평가 영역 ☐개념 이해력 ☐개념 응용력 ☐창의력 ☑문제 해결력

4 다음 그림에 있는 두 점을 이용하여 그릴 수 있는 직선은 모두 몇 개인지 구해 보세요.

(**10개**)

✤ 직선: 선분을 양쪽으로 끝없이 늘인 곧은 선

Test 종합평가 2. 평면도형

맞은 개수 ────

1 도형을 바르게 읽은 것에 ○표 하세요.

선분 ㄹㄷ   직선 ㄷㄹ
(○)   (   )

✤ 두 점을 곧게 이은 선이므로 선분 ㄹㄷ 또는 선분 ㄷㄹ입니다.

2 반직선 ㄴㄱ을 그어 보세요.

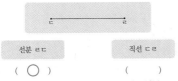

✤ 반직선은 한 점에서 시작하여 한쪽으로 끝없이 늘인 곧은 선입니다.

3 각을 읽어 보세요.

(1)   (2)

(**각 ㄱㄴㄷ**)   (**각 ㄷㄹㅁ**)
또는 각 ㄷㄴㄱ   **또는 각 ㅁㄹㄷ**

✤ 각의 꼭짓점이 가운데에 오도록 읽습니다.

---

4 각 ㄹㅁㅂ을 그려 보세요.

✤ 점 ㅁ이 꼭짓점이 되도록 점 ㅁ에서 점 ㄹ과 점 ㅂ으로 각각 반직선을 긋습니다.

5 직각삼각형을 찾아 ○표 하세요.

(   )   (○)   (   )

✤ 직각삼각형은 한 각이 직각인 삼각형입니다.

6 두 도형에 있는 각은 모두 몇 개인지 구해 보세요.

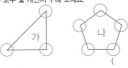

가   나

(**8개**)

✤ 각이 가 도형에는 3개, 나 도형에는 5개 있으므로 두 도형에 있는 각은 모두 $3+5=8$(개)입니다.

Test 종합평가 2. 평면도형   정답과 풀이 p.24

7 다음 도형은 각이 아닙니다. 그 이유를 설명해 보세요.

이유 예 각은 한 점에서 그은 두 반직선으로 이루어진 도형입니다. 반직선은 곧은 선인데 위의 도형은 곧은 선이 아니므로 각이 아닙니다.

8 네 변의 길이의 합이 24 cm인 정사각형이 있습니다. 이 정사각형의 한 변의 길이는 몇 cm인지 구해 보세요.

(**6 cm**)

❖ 정사각형은 네 변의 길이가 모두 같습니다.
한 변의 길이를 □cm라 하면 □+□+□+□=24입니다.
6+6+6+6=24에서 □=6이므로 정사각형의 한 변의 길이는 6 cm입니다.

9 다음은 어떤 도형을 설명한 것인지 써 보세요.

- 꼭짓점이 3개입니다.
- 직각이 있습니다.

(**직각삼각형**)

❖ 꼭짓점 3개로 이루어진 도형은 삼각형이고, 직각이 있는 삼각형은 직각삼각형입니다.

96 · Run - A 3-1

10 크기가 같은 직사각형 모양의 종이 2장을 겹치지 않게 이어 붙여서 다음 정사각형을 만들었습니다. 이 정사각형의 네 변의 길이의 합은 몇 cm인지 구해 보세요.

6 cm

(**48 cm**)

❖ (정사각형의 한 변의 길이)=6+6=12 (cm)
(정사각형의 네 변의 길이의 합)=12+12+12+12
=48 (cm)

11 오전 7시부터 오후 1시까지 시계의 긴바늘과 짧은바늘이 직각을 이루는 시각을 시계에 나타내어 보세요. (단, 긴바늘은 12를 가리켜야 합니다.)

❖ 오전 7시부터 오후 1시까지 긴바늘이 12를 가리키는 시각은 7시, 8시, 9시, 10시, 11시, 12시, 1시입니다.
그중에서 긴바늘과 짧은바늘이 직각을 이루는 시각은 9시입니다.

12 ㉠+㉡을 구해 보세요.

- 직각삼각형은 직각이 ㉠개 있습니다.
- 정사각형은 직각이 ㉡개 있습니다.

(**5**)

❖ 한 각이 직각인 삼각형을 직각삼각형이라고 합니다. ➡ ㉠=1
네 각이 모두 직각이고 네 변의 길이가 모두 같은 사각형을 정사각형이라고 합니다. ➡ ㉡=4
➡ 1+4=5

2. 평면도형 · 97

4 주 평가

Test 종합평가 2. 평면도형   정답과 풀이 p.24

13 폴리오미노는 여러 개의 정사각형을 변끼리 이어 붙여 만든 도형을 말합니다. 그중에서 정사각형 4개를 이어 붙여 만든 도형은 테트로미노라고 합니다. 다음 테트로미노에서 찾을 수 있는 크고 작은 직사각형은 모두 몇 개인지 구해 보세요.

(**9개**)

❖ 작은 정사각형 1개짜리: ①, ②, ③, ④ ➡ 4개
작은 정사각형 2개짜리: ①+②, ③+④, ①+③, ②+④ ➡ 4개
작은 정사각형 4개짜리: ①+②+③+④ ➡ 1개
➡ 4+4+1=9(개)

14 정사각형 2개가 되도록 선분을 한 개 그어 보세요.

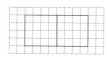

❖ 네 각이 모두 직각이고 네 변의 길이가 모두 같은 사각형 2개를 만들어 봅니다.

15 도형에서 찾을 수 있는 크고 작은 직각삼각형은 모두 몇 개인지 구해 보세요.

(**8개**)

❖ 작은 직각삼각형 1개짜리: ①, ②, ③, ④ ➡ 4개
작은 직각삼각형 2개짜리: ①+②, ①+③, ②+④, ③+④ ➡ 4개
➡ 4+4=8(개)

98 · Run - A 3-1

특강 창의·융합 사고력   정답과 풀이 p.24

1 나영이네 가족은 주말 농장에 갔습니다. 주말 농장에는 나영이가 열심히 가꾸고 있는 토마토 밭이 있습니다. 오이, 호박, 상추를 심은 밭은 모두 정사각형 모양인데 토마토 밭만 직사각형 모양입니다. 토마토 밭의 네 변의 길이의 합은 몇 m인지 알아보세요.

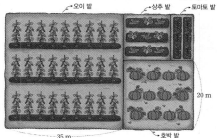
오이 밭   상추 밭   토마토 밭
20 m
35 m   호박 밭

(1) 상추 밭의 한 변의 길이는 몇 m인지 구해 보세요.

(**15 m**)

❖ 35-20=15 (m)

(2) 토마토 밭의 가로와 세로는 각각 몇 m인지 구해 보세요.

가로 (**5 m**), 세로 (**15 m**)

❖ (가로)=20-15=5 (m)
(세로)=15 m

(3) 토마토 밭의 네 변의 길이의 합은 몇 m인지 구해 보세요.

(**40 m**)

❖ 15+5+15+5=40 (m)

2. 평면도형 · 99

4 주 평가

단원별 기초 연산 드릴 학습서

최강 단원별 연산은 내게 맡겨라!

천재
계산박사

교과과정 바탕

교과서 주요 내용을
단원별로 세분화한 12단계 구성으로
실력에 맞는 단계부터 시작 가능!

연산 유형 마스터

원리 학습에서 계산 방법 익히고,
문제를 반복 연습하여
초등 수학 단원별 연산 완성!

재미 UP! QR 학습

딱딱하고 수동적인 연산학습은 NO!
QR 코드를 통한 〈문제 생성기〉와
〈학습 게임〉으로 재미있는 수학 공부!

탄탄한 기초는 물론
계산력까지 확실하게!
초등1～6학년(총 12단계)

정답은
이안에
있어 !